# 英検®3級合格問題集

監修　野崎順　江川昭夫

高橋書店

# はじめに

「英検」対策指導をしていると、このような生徒たちの悩みをよく聞きます。そんな悩みに応えるために、作ったのが本書です。

「英検」３級のリニューアルした問題にとまどっている人も、どう対策していいかわからない人も、過去問がむずかしいと感じている人も、この問題集に取り組めば、合格への道が見えるはずです。

この問題集をとけば…

こんなふうに変化すると思います。

本書は、多くの「英検」３級合格者を送り出してきた私たちの、長年の「英検」指導でつちかった「合格するためのカギ」と「英語が苦手な人でも学習を続けられる仕掛け」がギッシリ詰まっています。

ぜひこの問題集で「英検」３級合格をつかみ取ってください！

**野崎　順・江川　昭夫**

# この本で合格できる理由

## 圧倒的合格率の「英検」対策講座を再現！

今も中高生に「英検」対策を指導する現役教師の監修者が、合格のノウハウを凝縮しました。他の本にはない3つの特長があります。

## 1 記憶が定着しやる気も上がる！　問題前の「単語リスト」

「英検」対策で大切なのは語彙（ごい）力です。そこで、問題の前に「単語リスト」を用意しました。予習してからその後の問題を解くと、次のようなメリットがあります。

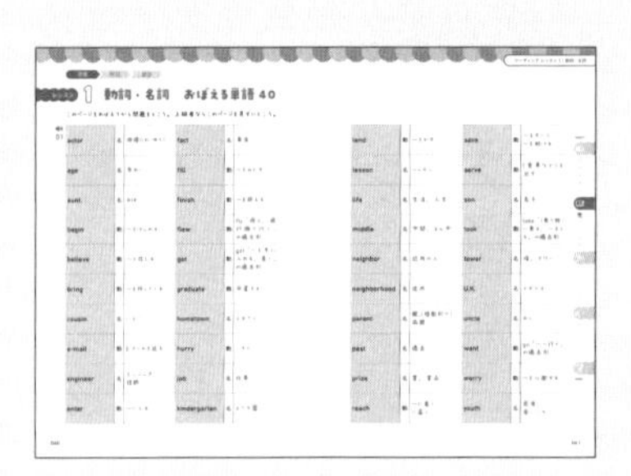

❶問題を解くことが楽しくなる
❷おぼえる単語数がしぼられるので、やる気が出る
❸復習もしやすく単語をおぼえやすい

## 2 短い文章でポイントがわかる「書き込み式解説」

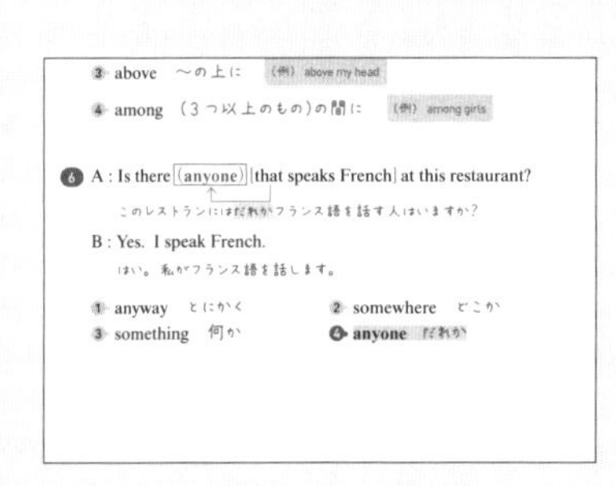
③ above　～の上に　（例）above my head
④ among　（3つ以上のもの）の間に　（例）among girls

❻ A : Is there (anyone) [that speaks French] at this restaurant?
このレストランには誰かフランス語を話す人はいますか？
B : Yes. I speak French.
はい。私がフランス語を話します。

① anyway　とにかく　② somewhere　どこか
③ something　何か　❹ anyone　だれか

動画を楽しむ人が増え、文章を読むのがにがてな人が増えています。そこで、部分訳やポイントと問題文が一緒に見える「書き込み式解説」を採用しました。解説文が短くなり、英文と訳の関係もわかりやすくなります。

## 3 どんな人も「書ける」ようになる！「まちがいさがし式」ライティング対策

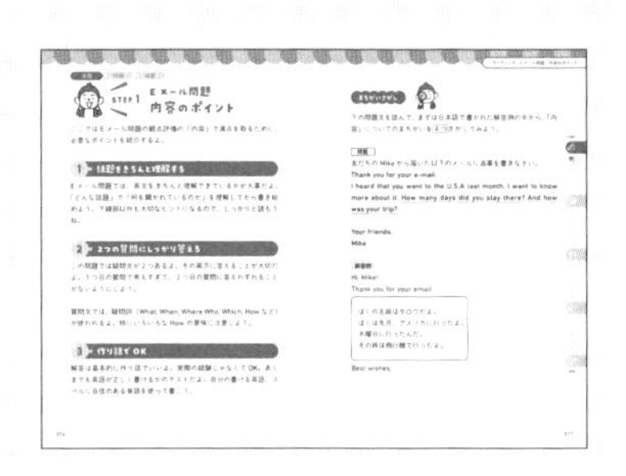

ライティングはにがてとする人が多い分野です。その理由は、次のようなものがあります。

❶得点の取り方がわからない
❷どうやって書くのかわからない
❸英文を書くのがめんどうくさくて、対策があと回しになる

そこで、本書では、悪い解答例を見て、読者が「どこがまちがいか」指摘する「まちがいさがし式」のライティング対策を採用しました。悪い例と良い例を比較することで、ライティングの採点基準にそった英作文力が自然と身につきます。

さらに、2024年度から新設されたEメール問題にも完全に対応しています。

このほかにも、「英検」合格のために必要な要素をまとめました。

- リスニングに使える音声ダウンロード
- 二次試験（スピーキング）対策になる面接対策動画
- 模擬テスト

ぜひ、この本を活用して、最短での合格を目指してくださいね！

# 受験ガイド

※内容は変わる場合があります。最新の情報は「英検」の HP 等でご自身でご確認ください。

## ● 3 級の出題レベル

3 級のレベルは「中学卒業程度」とされています。

## ● 3 級の試験形式

3 級には一次試験合格後に二次試験を受験する「従来型」と、4 技能を 1 日で受験する「S-CBT」があります。

### 従来型

- □ 年 3 回実施
- □ 一次試験と二次試験に分けて開催

【一次試験　マークシート方式】

**筆記試験（65 分）**

リーディング（30 問）／ライティング（2 問）

**リスニング試験（約 25 分）**

リスニング（30 問）

一次試験合格の場合
後日に二次試験実施

【二次試験　面接方式】

**面接試験（約 5 分）**

スピーキング（6 問）

合格

### S-CBT

- □ 毎週実施（最大年 6 回受験可能）
- □ 4 技能を 1 日で試験
- □ PC 画面上での操作

**スピーキング（15 分）**

※動画を見ながら、パソコンへの音声吹き込み

**リスニング試験（25 分）**

リスニング（30 問）

**リーディング・ライティング（65 分）**

リーディング（30 問）※マウス操作
ライティング（2 問）※タイピングと解答用紙への手書きが選べる

合格

## ●3級の試験内容

### ▼リーディング

<table>
<tr><td>短文の語句空所補充</td><td>文脈に合う適切な語句を補う</td><td>15問</td><td>短文<br>会話文</td><td rowspan="3">4肢<br>選択</td></tr>
<tr><td>会話文の空所補充</td><td>会話文の空所に適切な文や<br>語句を補う</td><td>5問</td><td>会話文</td></tr>
<tr><td>長文の内容一致選択</td><td>パッセージの内容に関する<br>質問に答える</td><td>10問</td><td>掲示・案内<br>Eメール<br>(手紙文)<br>説明文</td></tr>
</table>

### ▼ライティング

<table>
<tr><td>Eメール</td><td>返信メールを英文で書く</td><td>1問</td><td>Eメール</td><td rowspan="2">記述式</td></tr>
<tr><td>英作文</td><td>質問に対する意見を英語で論述する</td><td>1問</td><td>質問文など</td></tr>
</table>

### ▼リスニング

<table>
<tr><td>会話の応答文選択</td><td>会話の最後の発話に対する応答<br>として最も適切なものを補う<br>(放送回数1回、補助イラスト付き)</td><td>10問</td><td>会話文</td><td>3肢<br>選択</td></tr>
<tr><td>会話の内容一致選択</td><td>会話の内容に関する質問に答え<br>る(放送回数2回)</td><td>10問</td><td>会話文</td><td rowspan="2">4肢<br>選択</td></tr>
<tr><td>文の内容一致選択</td><td>短いパッセージの内容に関する<br>質問に答える(放送回数2回)</td><td>10問</td><td>物語文<br>説明文</td></tr>
</table>

### ▼スピーキング

<table>
<tr><td>音読</td><td>30語程度のパッセージを読む</td><td>1問</td><td rowspan="4">個人面接<br>(S-CBTの場合<br>は、PC画面上の<br>出題に対し、音<br>声吹き込み)</td></tr>
<tr><td>パッセージについての<br>質問</td><td>音読したパッセージの内容に<br>ついての質問に答える</td><td>1問</td></tr>
<tr><td>イラストについての質問</td><td>イラスト中の人物の行動や物の<br>状況を描写する</td><td>2問</td></tr>
<tr><td>受験者自身のことなど</td><td>日常生活の身近な事柄について<br>の質問に答える(カードのトピッ<br>クに直接関連しない内容も含む)</td><td>2問</td></tr>
</table>

英検®3級合格問題集

# CONTENTS

## 第3章　リスニング　111



## 第4章　スピーキング　129



## 第5章　模擬テスト　149




編集協力：株式会社エディット、
久里流ジョシュア（英知株式会社）
本文デザイン：永田理沙子（株式会社 dig）
イラスト：柏原昇店、まさひろ ともみ
DTP：株式会社千里
校正：株式会社ぷれす
音声録音：ユニバ合同会社
ナレーション：ジュリア・ヤマコフ、ピーター・ガーム、
小谷直子

# 本書の使い方

本書は、監修者が授業でつちかった「英検」対策メソッドを書籍で再現しています。以下の流れを参考に、ぜひ合格をつかみ取ってください！

## ①各章の心得を読む

各分野の最初には、問題の内容と対策法がわかる「心得」を掲載しているよ。ここを読んで、解き方をイメージしてレッスンに進もう。

## ②赤シートを使って、単語リストをチェック

各レッスンの最初には、重要単語リストがついている。自分のレベルに合わせて、こんな使い方ができるよ。

| | |
|---|---|
| 初級 | 単語リストをおぼえてから、すぐ問題をとく<br>➜単語に先に目を通すことで、問題がときやすくなります |
| 中級 | 単語リストをおぼえた後、１日以上たってから、問題をとく<br>➜時間をあけることで、記憶が定着します。問題をときながら、おぼえた単語とおぼえていない単語を区別し、復習に生かしましょう |
| 上級 | 先に問題をといてから、単語リストをチェック<br>➜自信のない単語には印をつけて、受験当日までに復習しましょう |

## ③問題をとく

実際に問題をといてみよう。選択肢も重要単語ばかりを集めているから、意味がわからなかったものにはチェックを入れておこう。

## ④解説を読む

本書では、先生が授業で行うように英文に赤字を書き込んだ「書き込み式解説」を採用している。英文のすぐ近くに意味や解説が書かれているので、問題文の意味がわからなかった人は、どこでつまずいたのか確認しよう。

## ⑤まちがえた単語を復習する

ひと通り問題をといたら、単語リストに戻って、重要単語をもう一度しっかりおぼえよう。

## ⑥模擬テストで確認

最後に模擬テストで総仕上げ。時間をはかりながら、実際の試験をイメージしてといてみよう。

## リスニング音声・面接対策動画の再生方法

### 音声再生・ダウンロードの方法

パソコン・スマートフォン・タブレットで簡単に音声を聞くことができます。以下の手順に従ってダウンロードしてください。

❶ 右の二次元コードを読み取るか、もしくは下記の専用サイトにアクセスしてください
https://www.takahashishoten.co.jp/audio-dl/27621.html

❷ ❶のページにアクセスし、パスワード「27621」を入力して「確定」をクリックしてください。

❸「全音声をダウンロードする」のボタンをクリックしてください。※トラックごとにストリーミングでも再生できます。

❹ zip ファイルを解凍し、音声データをご利用ください。

### 動画再生の方法

上記の二次元コードリンク先ページ内に、動画へのリンクが貼られています。該当部分をクリックして、その都度再生してください。(動画はダウンロードできません)

※本サービスは予告なく終了することがあります。
※パソコン・スマートフォン等の操作に関するお問い合わせにはお答えいたしかねます。

第1章

# ライティング

WRITING

英検
3級

# ライティング　心得

## 1 はじめに

3級からはかならずライティングを受けないといけないよ。いちばんめんどうくさくて、あと回しにしたくなるライティングの練習だけど、「英検」3級に合格するためには、じつはいちばん大切だよ。

試験でライティングをとき忘れたら、ライティングの点が0点になってしまう。そうするとリーディングとリスニングが満点でも不合格になってしまうから、気をつけてね！

さいしょに
ライティングをとこう！

## 2 解答時間

ライティングをとく目安の時間は、

Eメール問題が15分間　+　英作文問題が10分間

合計　25分間だよ。

ただし、リーディングとライティングを合わせて全部で65分間なので、リーディングにどのくらいかかるかにもよるね。

## 3 評価項目と採点方法

E メール問題と英作文問題を、それぞれ以下の評価項目で評価して、合計した得点が CSE スコアに変換されるよ。

E メール問題

内容 3 点 ＋ 語彙（ごい） 3 点 ＋ 文法 3 点 ＝ 合計 9 点

英作文問題

ライティング総計　25 点

E メール問題で 9 点、英作文問題で 16 点、合計 25 点で採点されるんだ。その後、特殊な計算で 550 点満点の CSE スコアに変換されるよ。

残念ながら、この特殊な計算方法は公表されていない。ただし、リスニングやリーディングと同じく、6 割程度の正解率が合格の目安なので、まずは 15 点を超えられるようにしよう。

準備 問題 解答

# STEP 1 Eメール問題 内容のポイント

ここではEメール問題の観点評価の「内容」で満点を取るために、必要なポイントを紹介するよ。

## 1 話題をきちんと理解する

Eメール問題では、英文をきちんと理解できているかが大事だよ。「どんな話題」で「何を聞かれているのか」を理解してから書き始めよう。下線部以外も大切なヒントになるので、しっかりと読もうね。

## 2 2つの質問にしっかり答える

この問題では疑問文が2つあるよ。その両方に答えることが大切だよ。1つ目の質問で考えすぎて、2つ目の質問に答えわすれることがないようにしよう。

質問文では、疑問詞（What, When, Where Who, Which, How など）が使われるよ。特にいろいろな How の意味に注意しよう。

## 3 作り話で OK

解答は基本的に作り話でいいよ。実際の経験じゃなくて OK。あくまでも英語が正しく書けるかのテストだよ。自分の書ける英語、スペルに自信のある単語を使って書こう。

## まちがいさがし

**下の問題文を読んで、まずは日本語で書かれた解答例の中から、「内容」についてのまちがいを4つさがしてみよう。**

問題

友だちのMikeから届いた以下のメールに返事を書きなさい。

Thank you for your e-mail.
I heard that you went to the U.S.A last month. I want to know more about it. How many days did you stay there? And how was your trip?
Your friends,
Mike

「私は、あなたが先月アメリカに行ったと聞いたよ。
それについてもっと知りたいな。
そこに何日いた（滞在した）の？
そして、あなたの旅はどうだった？」

解答例

Hi, Mike!
Thank you for your e-mail.

ぼくの名前はタロウだよ。
ぼくは先月、アメリカに行ったよ。
木曜日に行ったんだ。
その旅は飛行機で行ったよ。

Best wishes,

## まちがいさがし　解答

**解答例**

~~ぼくの名前はタロウだよ。~~
⇒ 必要なし

ぼくは先月、アメリカに行ったよ。
⇒ぼくはアメリカに家族と行ったよ。
⇒ぼくは先月、ニューヨークに行ったよ。

木曜日に行ったんだ。
⇒ぼくたちはそこに３日間いたよ。

その旅は飛行機で行ったよ。
⇒とてもすばらしかったよ！
⇒ぼくの旅は最高だったよ！

**まちがい①**
友だちという設定なので、自己紹介はしなくてOK。自分の名前も書かなくていいよ

**まちがい②**
問題文の英文をそのまま書くのではなく、場所やだれと行ったかなど新しい情報をつけくわえよう

**まちがい③**
聞かれているのは、How many days「何日」なので、曜日ではなく日数を答えよう

**まちがい④**
How was your trip? は「旅はどうだった？」という意味なので、旅の感想を答えよう。方法をたずねる「どうやって」の How とはちがうので気を付けよう

### 良い解答例

〈日本語〉
ぼくは家族とニューヨークに行ったんだ。
ぼくたちはそこに３日間いた（滞在した）よ。
その旅は最高だったよ。またそこに行きたいな。

〈英語〉
I went to New York with my family.
We stayed there for three days.
The trip was wonderful. I want to go there again.

## 1 疑問詞 How に注意

How was your holiday?　なら「休日はどうだった？」
How did you go?　なら「どうやって行ったの？」
など同じ How でも、be 動詞と一般動詞で意味が変わるよ。
また、How many people～?「何人の人たち？」、How much～?「どのくらい？」「いくら？」、How long～?「どのくらいの長さ？」などいろいろな使い方があるよ。

## 2 予想採点基準

E メール問題の「内容」で 3 点満点を取るために必要なポイントは以下の通り。
①E メールの話題にそって答えている
②1 つ目の質問に答えている
③2 つ目の質問に答えている

準備 問題 解答

# STEP 2 Eメール問題 語彙のポイント

ここではEメール問題の観点評価の「語彙（ごい）」で満点を取るために、必要なポイントを紹介するよ。

## 1 できるかぎり正確なスペルで書く

正しいスペルで書くことは、基本中の基本だけど、これがいちばんむずかしい。日頃の練習の積み重ねが大切。ふだん、英単語を見るばかりで、書いていない人は、これから試験日までに英単語を書く練習をしていこう。「めんどうくさ〜い」と言って、あと回しにしていると、この「語彙」で高得点は取れないよ。

また S-CBT テストのコンピュータ入力の場合、Word など文書ソフトでの入力のように、まちがえたスペルを自動で修正してくれたり、赤線でまちがいを教えてくれたりしないので、注意しよう。

## 2 単語と単語をはなして書く

英語を書くのになれていない人は、日本語のように単語と単語をくっつけて書いてしまうことがある。でも、英語を書く場合は、単語と単語の間をきちんとはなして書くことが大切だよ。

## 3 採点者が読める字で書く

紙に書いて答える場合は、採点する人が読める字で書くことも大切だ。せっかく書いても、読んでもらえなければ、採点してもらえない。まちがえたところは、あせらずにきちんと消しゴムで消して、書きなおそう。

下の解答例の中から、「語彙」についてのまちがいを5つさがそう。

問題

友だちのLauraから届いた以下のメールに返事を書きなさい。

I heard that you went to ABC restaurant last week.
I want to know more about it.
What did you eat at the restaurant?
And how was the dish?
Your friend,
Laura

「先週あなたがABCレストランに行ったって聞いたよ。
それについてもっと知りたいな。
そのレストランで何を食べたの？
それと、料理はどうだった？」

解答例

Hi, Laura!
Thank you for your e-mail.

I had diner there with my parents.
I ate a tomato pasta, an onion supe and a dessert.
There were very dericious!
You shuld should try the restaurant someday.

Best wishes,

## まちがいさがし　解答

**解答例**

I had ~~diner~~ there with my parents.

① dinner

I ate a tomato pasta, an onion ~~supe~~ and a dessert.

② soup

~~There~~ were very ~~dericious!~~

③ They　④ delicious

You shuld should try the restaurant someday.

⑤消しゴムで消す

①「夕食」dinnerは、nが重なるよ。英語には、他にもたくさん重なるスペルがあるので、日ごろから注意しよう。

②よく知っている「スープ」という単語もいざ書いてみると、こんなふうにまちがえることがよくあるよ。

③「それら」「彼ら」のtheyと「そこ」や「～がある」のthereは、意味がごちゃまぜになっている人がいるので、区別しておぼえよう。

④lとrは、どちらかわかりにくいね。何度も書いて、見た目の高さでおぼえよう。

⑤まちがえたら、線で訂正せずに、きちんと消しゴムで消そう。

## 1 まずは書くことが大事

ライティング対策はついつい書くのがめんどうくさくて、あと回しにしがちだよね。けれど、この「語彙」で高得点を取るには、書くことがとても大事。「知っている単語」でも「正しく書けない」ことはよくあるよ。そして、できれば書いた英文をだれかに見てもらおう。

## 2 当日はスペルミスをこわがらずに書く

テスト当日は「ミスをこわがって書かない」よりも、「たとえミスしても書く」ことが大事。スペルミスは減点だけれど、書かないとまったく点にならないから、まずは書こう。

## 3 予想採点基準

「語彙」で3点満点を取るために必要なポイントは以下の通り。

①スペルミスがほとんどない
②初歩的なレベルの語彙（want, think, long など）がきちんと使えている
③基本的なレベルの語彙（people, often, must など）がきちんと使えている

START
GOAL

準備 問題 解答

# STEP 3 Eメール問題 文法のポイント

ここではＥメール問題の観点評価の「文法」で満点を取るために、必要なポイントを紹介するよ。

## 1 英語の書き方の基礎を確認

英語を書くときの基本となるルールを再確認しておこう。大文字・小文字の使い方やピリオド、カンマ、クエスチョンマークの使い方など、当たり前のことをまちがえないようにしよう。

## 2 中１レベルの文法を復習

英検３級合格を目指している人にとって、中学１年生レベルの文法（動詞の三人称単数現在形、現在進行形、過去形や名詞の複数形など）は、わかっていても「正しく書く」のはむずかしいよね。この機会にしっかり復習して、ケアレスミスをなくそう。

## 3 中２レベルの文法を正確に書く

中学２年生でならう助動詞・不定詞・動名詞・比較などをきちんと使えるかが高得点の分かれ目だ。特に不定詞・動名詞・比較は問題文によく出てくるので、聞かれていることを正確に理解するためにも、しっかり習得しておこう。
また、書くときにそれらを使いながら、正確に表現することで高得点がゲットできるよ。

## まちがいさがし

**下の解答例の中から、「文法」についてのまちがいを4つさがそう。**

問題

友だちのLauraから届いた以下のメールに返事を書きなさい。

I heard that you went to ABC restaurant last week.
I want to know more about it.
What did you eat at the restaurant?
And how was the dish?
Your friend,
Laura

「先週あなたがABCレストランに行ったって聞いたよ。
それについてもっと知りたいな。
そのレストランで何を食べたの？
それと、料理はどうだった？」

解答例

Hi, Laura!
Thank you for your e-mail.

I with my family went to the restaurant.
I was eat pasta there.
The dishes was very good.
I want to you try the pasta in the restaurant.

Best wishes,

## まちがいさがし　解答

**解答例**

I with my family went to the restaurant.

⇒ I went to the restaurant with my family.

私は家族といっしょにそのレストランに行きました。

日本語の順番では、「～といっしょに」は前の方に置くけれど、英語の順番では、「with ～」は後ろの方（動詞句の後ろ）に置く

I was eat pasta there.

⇒ I ate pasta there.

私はそこでパスタを食べました。

受動態をならっていると、「be 動詞+過去分詞を使わなきゃ」と思うかもしれない。でも、「食べました」はシンプルに「ate」でいいよね

The dishes was very good.

⇒ The dishes were very good.

その料理はとてもよかったです。

The dishes は複数形なので、その後の be 動詞は were が正しいよ

I want to you try the pasta in the restaurant.

⇒ I want you to try the pasta in the restaurant.

私はあなたにそのレストランでパスタを食べてみてほしいな。

want 人 to do で、「（人に）～してほしい」という意味になるよ。語順に注意だ

## 1　少しむずかしい文法を使おう

かんたんすぎる英文にならないように、比較や動名詞、不定詞、分詞などのむずかしい文法も使おう。今回の例なら、4 つ目の文のように、不定詞の応用を使うことで、高い点数につながるよ。

## 2　見直しをしよう

文法に限らず、書き終わったら、正しい文章が書けたか見直しをしよう。実は「まちがいさがし」の練習問題は、この見直しの練習でもあったんだ。君の見直し力はこれでアップしているはず。

## 3　予想採点基準

E メール問題の「文法」で 3 点満点を取るために必要なポイントは以下の通り。

①基本的な書き方（大・小文字、ピリオドなど）ができている
②初歩的な文法（現在形・三人称単数・過去形など）がきちんと使えている
③基本的な文法（助動詞・動名詞・不定詞・比較など）がきちんと使えている

準備 問題 解答

# レッスン 1 Eメール問題①

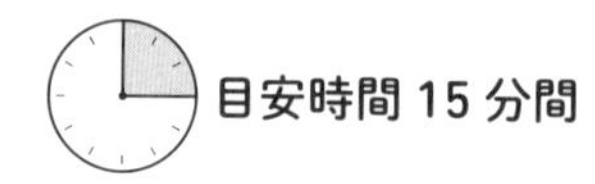


それでは、Eメール問題をといてみよう。

- あなたは，外国人の友達（Sophia）から以下のEメールを受け取りました。Eメールを読み，それに対する返信メールを，右ページの［　　　］に英文で書きなさい。
- あなたが書く返信メールの中で，友達（Sophia）からの2つの質問（下線部）に対応する内容を，あなた自身で自由に考えて答えなさい。
- あなたが書く返信メールの中で［　　　］に書く英文の語数の目安は，15語～25語です。
- 解答は，右側にあるEメール解答欄に書きなさい。なお，解答欄の外に書かれたものは採点されません。
- 解答が友達（Sophia）のEメールに対応していないと判断された場合は，0点と採点されることがあります。友達（Sophia）のEメールの内容をよく読んでから答えてください。
- ［　　　］の下のBest wishes,の後にあなたの名前を書く必要はありません。

> **Hi,**
> **Thank you for your e-mail.**
> **I heard that you had a nice weekend. I want to know more about it. What did you do? And what do you want to do next weekend?**
>
> **Your friend,**
> **Sophia**

START

GOAL

# Eメール解答欄

**Hi, Sophia!**

**Thank you for your e-mail.**

5

10

**Best wishes,**

# 解答

QUESTION

I heard that you had a nice weekend.

I want to know more about it.

What did you do?

And what do you want to do next weekend?

解答例

I went shopping with my classmates.

I bought a T-shirt. It was fun.

I want to see a movie next weekend.

I like watching movies.

【語数】25 語

## 日本語訳

**問題**

君がステキな週末を過ごしたって聞いたよ。
それについてもっと知りたいな。
何をしたの？
そして、来週末は何がしたい？

**解答例**

私はクラスメートとショッピングに行ったよ。

Tシャツを買ったんだ。楽しかったよ。

来週末は映画を見たいなぁ。

私は映画を見るのが好きなんだ。

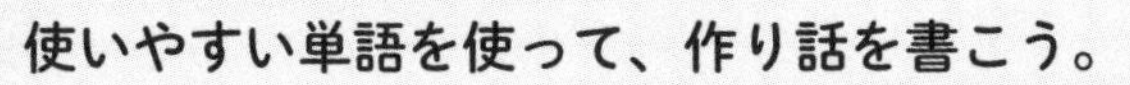

使いやすい単語を使って、作り話を書こう。


実際に週末出かけていなくても、「went shoppingなら書けるな」と思ったら、それを書くんだ。自分にとって使いなれている英単語を使って、作り話の英文を書こう。

準備 問題 解答

# レッスン 2 Eメール問題②

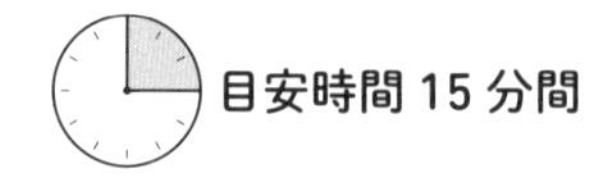

それでは、Eメール問題をといてみよう。

- あなたは，外国人の友達（Terry）から以下のEメールを受け取りました。Eメールを読み，それに対する返信メールを，右ページの[　　　]に英文で書きなさい。
- あなたが書く返信メールの中で，友達（Terry）からの2つの質問（下線部）に対応する内容を，あなた自身で自由に考えて答えなさい。
- あなたが書く返信メールの中で[　　　]に書く英文の語数の目安は，15語～25語です。
- 解答は，右側にあるEメール解答欄に書きなさい。なお，解答欄の外に書かれたものは採点されません。
- 解答が友達（Terry）のEメールに対応していないと判断された場合は，0点と採点されることがあります。友達（Terry）のEメールの内容をよく読んでから答えてください。
- [　　　]の下のBest wishes,の後にあなたの名前を書く必要はありません。

**Hi,**
**Thank you for your e-mail.**
**I heard that you were planning to travel in a foreign country. I have some questions about it. Which country are you going to visit? And what will you do there?**

**Your friend,**
**Terry**

START

GOAL

# E メール解答欄

**Hi, Terry!**

**Thank you for your e-mail.**

5

10

**Best wishes,**

# 解答

QUESTION

I heard that you were planning to travel in a foreign country.

I have some questions about it.

Which country are you going to visit?

And what will you do there?

解答例

I made a plan to go to France next summer.

I am going to visit some museums there.

There are a lot of famous museums in Paris.

【語数】27 語

※語数は 25 語をオーバーしても OK。
15 語～ 25 語は目安だよ。

## 日本語訳

**問題**

君が外国に旅行に行く計画を立てているって聞いたよ。
それについて質問があるんだ。
どこの国に行く予定なの？
そして、そこで何をするつもりなの？

**解答例**

私は次の夏にフランスに行く計画を立てたんだ。

そこでいくつかの美術館をおとずれる予定なんだ。

パリにはたくさんの有名な美術館があるんだ。

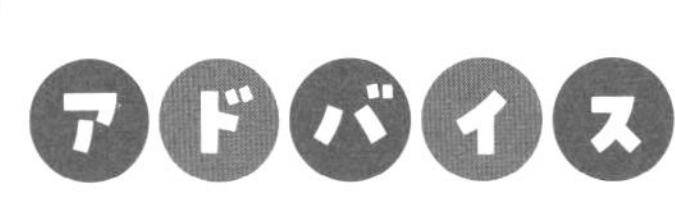

### あいまいにおぼえている単語の練習をしておこう

英語では「見たら意味はわかるけれど、書くことができない」単語がたくさんあるよね。ライティングで高得点を取るためには、その「あいまいにおぼえている単語」を書く練習が必要だよ。

準備　問題　解答

# STEP 4 英作文問題 内容のポイント

ここでは英作文問題の観点評価の「内容」で満点を取るために、必要なポイントを紹介するよ。

## 1 質問にきちんと答える

質問にたいしてきちんと答えるのがいちばん大切。聞かれていないことを書いたら、0点になってしまうので、注意しよう。

たとえば、「どこで夕食を食べるのが好きですか」との質問に、「私はピザが好きです。トマトソースのピザはとてもおいしい」のように書いた場合、「どこで」という質問に答えていないので、0点になってしまうよ。

## 2 理由か具体例を2つ答える

「どこで夕食を食べるのが好きですか」との質問に「私はレストランで食べるのが好き」と答えたら、その理由または具体例を2つ書こう。

## 3 理由か具体例を最初の意見と合わせる

また、「私はレストランで食べるのが好き」と答えたあとに、「レストランはメニューが多すぎてえらべない」とか、「でも、姉は家で食べるのが好き」とか書いてもポイントにはならない。
「私はレストランで食べるのが好き」という最初の意見にたいする直接の理由になるもの、具体例になるものを書こう。

意見　「私はレストランで食べるのが好き」

理由　×「レストランはメニューが多すぎてえらべない」
　　　○「レストランにはおいしい料理がたくさんある」

具体例　×「でも、姉は家で食べるのが好き」
　　　○「私はレストランでピザを食べるのが好き」

## まちがいさがし

**下の解答例の中から、「内容」についてのまちがいを 2つずつ、合計4つ さがしてみよう。できるなら、自分ならどう答えるかも考えてみよう。**

問題

**「あなたは夏と冬では、どちらの方が好きですか？」**

***Which do you like better, summer or winter?***

**解答例 1**

私は秋よりも、夏が好き。
まず、冬はさむいからきらい。
夏は海であそべる。

**解答例 2**

私は夏よりも、冬が好き。
理由はなんとなく。
でも、夏に海に行きたい。

## まちがいさがし　解答

問題　「あなたは夏と冬では、どちらの方が好きですか？」
***Which do you like better, summer or winter?***

**解答例 1**

私は秋よりも、夏が好き。

まず、冬はさむいからきらい。

夏は海であそべる。

**まちがい①**
「夏か冬のどちらか」で聞かれているので「夏か冬」で答えよう

**まちがい②**
最初に「夏が好き」と書いたなら、「夏が好きな理由」を書こう

**解答例 2**

私は夏よりも、冬が好き。

理由はなんとなく。

でも、夏に海に行きたい。

**まちがい③**
「なんとなく」ではなく、具体的な理由を答えよう

**まちがい④**
最初に「冬が好き」と書いたので「夏」ではなくて、「冬」が好きな理由を書こう

いくつ見つけられたかな？
３つ以上見つけられた人は、英語のライティングのセンスがあるよ！

### 良い解答例

私は夏よりも冬が好きだ。なぜなら、冬はスキーができる。
そして、冬はクリスマスプレゼントがもらえる。
**I like winter better than summer because I can ski in winter.**
**I can also get some Christmas presents in winter.**（21 語）

## 1 問題文を正しく読み取る

「内容」で点を取るには、まず問題文を正しく読み取ること。例題にも出てきた「Which」などの疑問詞（What, When, Where, How）にしっかり答えよう。

## 2 理由や具体例はムリヤリにでも作る

好きな理由や具体例を書くのがにがてな人は、シンプルに「考えるトレーニング」が必要だ。このテキストにはいくつかの例題があるので、毎回、理由や具体例を考えてみよう。

## 3 理由や具体例を英語にする前に落ちついて見直す

理由や具体例を考えていると、どうしても質問や最初の意見からはなれてしまうことがある。問題用紙に日本語でメモしながら考えて、英語にする前にメモを落ちついて見直すことが大切。

## 4 予想採点基準

「内容」で4点満点を取るために必要なポイントは以下の通り。

①質問にたいして、きちんと意見を答えている
②意見にたいする理由か具体例が1つある
③意見にたいする理由か具体例がもう1つある
④それぞれの理由か具体例が、最初の意見と合っている

準備　問題　解答

# STEP 5 英作文問題 構成のポイント

ここでは英作文問題の観点評価の「構成（こうせい）」で満点を取るために、必要なポイントを紹介するよ。

## 1 英語の意見の述べ方の流れで書く

英語の意見の述べ方には、「意見」⇒「理由・具体例」という流れがある。その流れで答えると「構成」の得点が上がるんだ。

## 2 まず、質問にたいする意見を書く

英語では意見を先に書こう。日本語の作文では、理由を先に書いて意見を最後に書くことが多いので、気をつけよう。

## 3 意見のあとに、理由か具体例を書く

意見を書いたら、次に理由、または具体例を書こう。理由か具体例は２つ書くのがベストだけど、思いつかない場合は１つでもいいから書こう。高得点ではなくても、少しは得点がもらえるよ。

## 4 途中で、意見の立場を変えない

意見にたいする理由や具体例を考えているうちに、意見が変わってくることがある。そんなときに、文章の途中で意見の立場を変えないように注意しよう。

## まちがいさがし

下の解答例の中から、「構成」についてのまちがいを 1つずつ、合計2つ さがしてみよう。できるなら、自分ならどう答えるかもかんがえてみよう。

問題　「あなたはどこで夕食を食べるのが好きですか？」
*Where do you like eating dinner?*

**解答例 1**

私の母は料理が得意。
私は母の料理が大好き。
だから、私は家で夕食を食べるのが好き。

**解答例 2**

私はレストランで食べるのが好き。
なぜなら、レストランの料理はおいしいから。
でも、レストランはメニューが多すぎてえらべない。
だから、やっぱりきらいかもしれない。

## まちがいさがし　解答

問題　「あなたはどこで夕食を食べるのが好きですか？」

***Where do you like eating dinner?***

**解答例 1**

私の母は料理が得意。

私は母の料理が大好き。

だから、私は家で夕食を食べるのが好き。

**まちがい①**

日本語だとかんぺきな文に見えるけど、理由が先で、意見が最後になっている

**解答例 2**

私はレストランで食べるのが好き。

なぜなら、レストランの料理はおいしいから。

でも、レストランはメニューが多すぎてえらべない。

だから、やっぱりきらいかもしれない。

**まちがい②**

最初の意見とは逆の立場になっている

これらのまちがいは、日本語の作文だとまちがいにならないこともあるので、注意しよう。

### 良い解答例

私は家で夕食を食べるのが好き、なぜなら、私は母の料理が大好きだから。私の母は料理をするのがとても得意です。

**I like eating dinner at home because I love my mother's dishes. She is good at cooking very much.**（19 語）

# アドバイス

## 1 解答を書く前に、書きたいことをメモする

なれるまでは、日本語でかまわないので、英文を書き始める前に書くことをメモしよう。メモすることで、考えも整理されるし、構成について落ちついて考えることができる。
そのメモを見ながら、「意見」と「理由や具体例」の順番が逆になっていないか、「意見の立場」が変わっていないか、などを確認することができるよ。

## 2 英語の考え方を身につける

3級のライティングは、英語の考え方を身につける第一歩だ。今回のように、日本語では自然でも、英語になると不自然になることは、これからもよくあることなので、気をつけよう。

## 3 予想採点基準

「構成」で4点満点を取るために必要なポイントは以下の通り。

①最初に、質問にたいしての意見を書いている
②意見のあとに、その理由や具体例を書いている
③意見にたいする立場がずっと同じである
④意見に関係のあることだけ書いている

準備 問題 解答

# STEP 6 英作文問題 語彙・文法のポイント

## ●語彙（ごい）のポイント

語彙のポイントは、Eメール問題とほぼ同じだ。P20を確認して、英作文問題でも「まちがいさがし」をしてみよう。

### まちがいさがし

**下の解答例の中から、「語彙」についてのまちがいを5つさがしてみよう。できるなら、正しいスペルで書いてみよう。**

問題

「あなたは将来、海外旅行がしたいですか？」

***Do you want to travel abroad in the future?***

解答例

Yes. I want to travel abroad in the future.

I want to vizit Austraria someday becouse it is a

beautifull cantry.

→答えはP46に

### ●文法のポイント

文法のポイントは、Eメール問題とほぼ同じだけれど、使用できる文法レベルが少し上がるよ。P24を確認して、英作文問題でも「まちがいさがし」をしてみよう。

まちがいさがし

**下の解答例の中から、「文法」についてのまちがいを3つさがしてみよう。できるなら、正しい文法で書いてみよう。**

問題

「あなたはテニスとバレーボールのどちらの方が好きですか？」
***Which do you like better, tennis or volleyball?***

解答例

I like better volleyball than tennis.

I like play volleyball with my teammates.

Play volleyball is very fun.

➜答えはP47に

解答

問題 「あなたは将来、海外旅行がしたいですか？」

***Do you want to travel abroad in the future?***

解答例

Yes. I want to travel abroad in the future.

I want to ~~vizit~~ ~~Austraria~~ someday ~~becouse~~ it is a
① visit ② Australia ③ because

~~beautifull~~ ~~cantry.~~
④ beautiful ⑤ country

①③⑤は音につられてまちがえやすい単語だよ。ただしく書けるまで練習しよう。

②lとrはどちらかわかりにくいね。何度も書いて見た目の高さでおぼえよう。

④ useful や wonderful のように最後につく -ful は、l が1つでいいので注意しよう。

まずは、書く練習をしよう。書かないとスペルミスはへらないよ。

## 予想採点基準

「語彙」で4点満点を取るために必要なポイントは以下の通り。
①スペルミスがほとんどない（1，2個なら OK）
②基本的な語彙（I, have, be 動詞など）がきちんと使えている
③5級程度の語彙（want, think など）がきちんと使えている
④4級程度の語彙（people, often など）がきちんと使えている

解答

**問題** 「あなたはテニスとバレーボールのどちらの方が好きですか？」
***Which do you like better, tennis or volleyball?***

**解答例**

I like better volleyball than tennis.
⇒ I like volleyball better than tennis.

like A better than B
この順番で「BよりもAが好き」

I like play volleyball with my teammates.
⇒ I like to play volleyball with my teammates.
⇒ I like playing volleyball with my teammates.

like to do
like doing
どちらも「～することが好き」

Play volleyball is very fun.
⇒ Playing volleyball is very fun.
⇒ To play volleyball is very fun.

playing volleyball か to play volleyball で、「バレーボールをすること」

## アドバイス

かならず見直しをしよう。見直しでミスをへらせるよ。

## 予想採点基準

「文法」で４点満点を取るために必要なポイントは以下の通り。
①基本的な書き方（大・小文字，ピリオドなど）ができている
②主語・動詞があるきちんとした文章が書けている
③５級の文法（現在形・否定文など）がきちんと使えている
④４級の文法（三人称単数・過去形など）がきちんと使えている

# 3 英作文問題①

それでは、英作文問題をといてみよう。

- あなたは，外国人の友達から以下の QUESTION をされました。
- QUESTION について，あなたの考えとその理由を２つ英文で書きなさい。
- 語数の目安は 25 語～ 35 語です。
- 解答は，右側にある英作文解答欄に書きなさい。
  なお，解答欄の外に書かれたものは採点されません。
- 解答が QUESTION に対応していないと判断された場合は，０点と採点されることがあります。QUESTION をよく読んでから答えてください。

**QUESTION**

***Where do you like to go on vacations?***

# 英作文解答欄

5

10

# 解答

## QUESTION
***Where do you like to go on vacations?***

**解答例**

I like to go to beaches on vacations.

I have two reasons.

First, I like swimming in the sea.

I sometimes go to beaches to swim with my friends.

Second, it is fun to play with a ball on the beach.

【語数】41 語

※語数は 35 語をオーバーしても OK。
25 語～ 35 語は目安だよ。

## 日本語訳

**質問**
あなたは休みにどこに行くのが好きですか？

私は休みにビーチへ行くのが好き。

2つ理由があります。

まず第一に，私は海で泳ぐのが好き。

私はときどき私の友だちと泳ぐためにビーチに行く。

第二に，ビーチでボールであそぶのは楽しい。

### 英語で書けることを書こう

自分がじっさいに好きなことを書こうとすると、「なかなか英単語が思いつかない」っていうことあるよね？

本番は辞書を使うことはできないから、知っている単語で、書きたいことに近い内容を書けるように練習しておこう。

辞書を使わずに書く練習もしてみよう。

# レッスン 4 英作文問題②

もう 1 問、英作文問題をといてみよう。

- あなたは，外国人の友達から以下の QUESTION をされました。
- QUESTION について，あなたの考えとその理由を 2 つ英文で書きなさい。
- 語数の目安は 25 語～ 35 語です。
- 解答(かいとう)は，右側にある英作文解答欄(かいとうらん)に書きなさい。
なお，解答欄(かいとうらん)の外に書かれたものは採点(さいてん)されません。
- 解答(かいとう)が QUESTION に対応していないと判断された場合は，0 点と採点(さいてん)されることがあります。QUESTION をよく読んでから答えてください。

**QUESTION**

***Which do you like better, reading books or playing sports?***

START

# 英作文解答欄

5

10

GOAL

# 解答

## QUESTION

***Which do you like better, reading books or playing sports?***

解答例

I like reading books better than playing sports.

I have two reasons.

First, reading books is fun for me.

For example, I like to read novels.

Second, I can be smart when I read books.

【語数】35 語

## 日本語訳

### 質問

あなたは本を読むのとスポーツをするのでは，どちらの方が好きですか？

私は本を読む方がスポーツをすることよりも好き。

2つ理由があります。

まず第一に，本を読むことは私にとって楽しい。

たとえば，私は小説を読むのが好き。

第二に，本を読むとかしこくなれる。

### キーフレーズをおぼえよう

I have two reasons. や First, Second, For example, など使いやすいキーフレーズはかんぺきに書けるようにしておこう。
何回も練習すると自分の中でライティングのパターンができると思うので、そのパターンを大切にしよう。
ライティングの点数を上げるには、とにかく書くことが大切！

# 第2章 リーディング

READING

# 英検 3級 リーディング　心得

## 1 はじめに

リーディングは、なんといっても知っている単語の数が大事！

4級で出てくる単語数：約 1300 語
3級で出てくる単語数：約 2100 語
800 語ふえる！

ど〜ん！　4級と比べると、なんと 800 語もふえているよ。
2100 語は、中学3年生までにならう単語数とほぼ同じだ。

そして、試験時間はリーディングとライティングで 65 分間。
目安は、ライティング 25 分間＋リーディング 40 分間だ。
たった 40 分間で約 30 問をとくスピードと、40 分間も英語を読みつづける集中力がもとめられるよ。

## 2 パート 1　短文の語句空所補充　（約 15 問）

| 単語問題 | 約 7 問 |
|---|---|
| 熟語問題 | 約 5 問 |
| 文法問題 | 約 3 問 |

このパート1の単語問題が、いちばん単語力が必要！ 4択問題だけど、運まかせではなかなか得点は取れないよ。地道な努力がいちばんもとめられるパートだね

このパートの正解率が安定すると全体の底上げにつながるよ。めげずにがんばろう！ このテキストは1冊丸ごとが語彙（ごい）力アップにつながるようにできているんだ。このテキストをやり終えたころには、このパート1が楽勝になっているかも⁉

単語は、書いたり、発音したり、じっさいに使ってみたりすると長〜く記憶にのこるよ！

ちなみに、文法問題は、たったの3問。されど3問。そのほとんどは中学3年生でならう文法だ。文法の理解がふかまると、このパートだけじゃなくて、他のパートの理解もふかまるよ。

## 3 パート2　会話文の空所補充（約5問）

このパートは、英語の会話表現の知識がもとめられる。ただの語彙力だけじゃなくて、会話の表現や流れを読みとく力が必要だ。

## 4 パート3　長文の内容一致選択（約10問）

| 広告・掲示問題 | 約2問 |
|---|---|
| メール問題 | 約3問 |
| 説明文問題 | 約5問 |

どの文も長いけど、特に最後の長文はとても長いので、このテキストでトレーニングして、まずは長さになれることが大事

このパートでもベースとして語彙力・文法力が必要だ。知らない単語が多いと、読んでいても意味がわからないよね。長文を読みながら、単語の意味を確認して、同時に語彙力も上げていこう。

正確な点数配分は公表されていないけど、このパートは他のパートよりも配点は高いと予想されるよ。
じつは、今の得点システムになる前は、得点が他のパートの2倍だったんだ。今は2倍ではないようだけど、得点は高いみたいだ。だから、合格のためにはこのパートが大切だよ。

準備 問題 解答

# レッスン 1 動詞・名詞 おぼえる単語 40

このページをおぼえてから問題をとこう。上級者ならこのページを見ずにとこう。

01

| | | |
|---|---|---|
| actor | 名 | 俳優(はいゆう) |
| age | 名 | 年れい |
| aunt | 名 | おば |
| begin | 動 | ～をはじめる |
| believe | 動 | ～と信じる |
| bring | 動 | ～を持ってくる |
| cousin | 名 | いとこ |
| e-mail | 動 | Eメールを送る |
| engineer | 名 | エンジニア,技師 |
| enter | 動 | ～に入る |

| | | |
|---|---|---|
| fact | 名 | 事実 |
| fill | 動 | ～をみたす |
| finish | 動 | ～を終える |
| flew | 動 | fly「飛ぶ,飛行機で行く」の過去形 |
| got | 動 | get「～を手に入れる,着く」の過去形 |
| graduate | 動 | 卒業する |
| hometown | 名 | ふるさと |
| hurry | 動 | いそぐ |
| job | 名 | 仕事 |
| kindergarten | 名 | ようち園 |

START

| | | |
|---|---|---|
| lend | 動 | ～をかす |
| lesson | 名 | レッスン |
| life | 名 | 生活，人生 |
| middle | 名 | 中間，まん中 |
| neighbor | 名 | 近所の人 |
| neighborhood | 名 | 近所 |
| parent | 名 | 親，(複数形で)両親 |
| past | 名 | 過去 |
| prize | 名 | 賞，賞品 |
| reach | 動 | ～に着く，に届く |
| save | 動 | ～をすくう，～を助ける |
| serve | 動 | (食事など)を出す |
| son | 名 | 息子 |
| took | 動 | take「(乗り物)に乗る，～をとる」の過去形 |
| tower | 名 | 塔，タワー |
| U.K. | 名 | イギリス |
| uncle | 名 | おじ |
| went | 動 | go「～へ行く」の過去形 |
| worry | 動 | ～を心配する |
| youth | 名 | 若者，若いころ |

GOAL

# レッスン 1 動詞・名詞

次の(1)〜(6)までの（　　）に入れるのに最も適切なものを 1，2，3，4 の中から 1 つ選び，その番号を○で囲みなさい。

**1** A : What is your (　　)?
B : I work as a teacher.

1 life　　2 prize
3 lesson　　4 job

**2** A : Did you (　　) your homework yesterday?
B : No, I didn't.  I'm still doing it.

1 save　　2 finish
3 lend　　4 worry

**3** I (　　) that Jack was from the U.K., but that wasn't true.

1 believed　　2 reached
3 served　　4 filled

名詞・動詞・形容詞・副詞などに分かれて出題されるよ。名詞は複数形、動詞は過去形、特に不規則活用に注意しよう！

START

**4** My uncle has two sons. They are my (　　　　).

1 cousins　　2 aunts

3 parents　　4 brothers

**5** A : Dad, tell me what you liked to do when you were a student.

B : OK. I often played the guitar in my (　　　　).

1 neighbor　　2 age

3 youth　　4 fact

**6** A : I hear you were in Osaka on a business trip last week. How did you go there?

B : I (　　　　) there.

1 went　　2 got

3 took　　4 flew

GOAL

# レッスン 1

❶ A : What is your (job)? あなたの仕事は何ですか?

B : I work as a teacher. 私は先生としてはたらいています。

1 life 生活
2 prize 賞
3 lesson レッスン
**4 job 仕事**

❷ A : Did you (finish) your homework yesterday?

あなたは昨日，宿題を終えましたか?

B : No, I didn't. I'm still doing it.

いいえ，終えていませんでした。私はまだそれをやっています。

1 save ～をすくう，を助ける
**2 finish ～を終える**
3 lend ～をかす
4 worry ～を心配する

❸ I (believed) 〈that Jack was from the U.K.〉, but that wasn't true.

私は，ジャックはイギリス出身だと信じていましたが，それは本当ではありませんでした。

**1 believed** believe「～と信じる」の過去形
2 reached reach「～に着く」の過去形
3 served serve「(食事など)を出す」の過去形
4 filled fill「～をみたす」の過去形

START

**4** My uncle has two sons. They are my (cousins).

私のおじには息子が２人います。彼らは私のいとこです。

**1** **cousins** いとこ　　2 aunts おば
3 parents 両親　　4 brothers 兄弟

**5** A : Dad, tell me what you liked to do when you were a student.
お父さん，あなたが学生だったとき何をするのが好きだったか教えて。

B : OK. I often played the guitar in my (youth).
いいよ。若いころはよくギターをひいたよ。

1 neighbor 近所の人　　2 age 年れい
**3** **youth** 若者，若いころ　　4 fact 事実

**6** A : I hear you were in Osaka on a business trip last week.
あなたは先週，出張（仕事の旅行）で大阪にいたそうですね。

How did you go there?
どうやってそこに行ったのですか？

B : I (flew) there.　私は飛行機でそこに行きました。

1 went go「行く」の過去形
2 got get「～を手に入れる，着く」の過去形
3 took take「（乗り物）に乗る」の過去形
**4** **flew** fly「飛行機で行く」の過去形

GOAL

準備 問題 解答

# レッスン 2 形容詞・副詞・前置詞・代名詞 おぼえる単語 40

このページをおぼえてから問題をとこう。上級者ならこのページを見ずにとこう。

02

| | | | | | |
|---|---|---|---|---|---|
| above | 前 | ～の上に | before | 副 | 以前に，～の前に |
| afraid | 形 | こわがって | between | 前 | (2つのもの)の間に |
| after | 前 | ～の後に | busy | 形 | いそがしい |
| ago | 副 | ～前に | careful | 形 | 注意ぶかい |
| already | 副 | もう，すでに | deep | 形 | 深い |
| always | 副 | いつも，つねに | different | 形 | ことなる，ちがった |
| among | 前 | (3つ以上のもの)の間に | difficult | 形 | むずかしい |
| anyway | 副 | とにかく，いずれにせよ | during | 前 | (特定の期間の)間に |
| away | 副 | はなれて | early | 形 | (時間が)早い |
| badly | 副 | わるく，ひどく | easy | 形 | かんたんな |

START

GOAL

| | | |
|---|---|---|
| expensive | 形 | 値段が高い、高価な |
| for | 前 | (期間の長さ)の間に |
| free | 形 | 自由な、ひまな |
| full | 形 | いっぱいの |
| heavy | 形 | 重い |
| helpful | 形 | 役に立つ |
| important | 形 | 重要な |
| international | 形 | 国際的な |
| later | 副 | あとで |
| never | 副 | 決して〜ない |
| possible | 形 | 可能な |
| really | 副 | 実際は、本当に |
| sad | 形 | 悲しそうな |
| somewhere | 副 | どこか |
| strong | 形 | 強い |
| tired | 形 | つかれた |
| usually | 副 | ふつうは、たいてい |
| wonderful | 形 | すばらしい |
| wrong | 形 | まちがった、まちがっている |
| yet | 副 | (否定文で)まだ (疑問文で)もう |

# レッスン 2 形容詞・副詞・前置詞・代名詞

次の(1)～(6)までの（　　）に入れるのに最も適切なものを 1，2，3，4 の中から 1 つ選び，その番号を○で囲みなさい。

**(1)** I had a lot of things to do yesterday, so I got (　　　).

1 free　　2 easy
3 early　　4 tired

**(2)** A : Does your father like natto?
B : No. He (　　　) eats it.

1 never　　2 often
3 usually　　4 always

**(3)** A : Has the movie started (　　　)?
B : No. It will start in ten minutes.

1 later　　2 yet
3 before　　4 ago

4択の英単語の意味が全部わかるレベルに到達するには、かなり時間がかかるよ。まずは4つ中2つ、3つはわかるようになろう。選択肢をしぼることができるのは語彙力がある証拠だ！

**4** A : How was the concert at the park yesterday?

B : Well, the park was (　　　) of people and I couldn't move.

1 deep　　2 heavy

3 full　　4 strong

**5** A : Are you going to do anything (　　　) summer vacation?

B : Yes.  I'm going to visit my grandparents in Nagano.

1 between　　2 during

3 above　　4 among

**6** A : Is there (　　　) that speaks French at this restaurant?

B : Yes.  I speak French.

1 anyway　　2 somewhere

3 something　　4 anyone

# レッスン 2

❶ I had a lot of things to do yesterday, so I got (tired).

私は昨日，するべきことがたくさんあったので，つかれた。

1 free　ひまな
2 easy　かんたんな
3 early　早い
**❹ tired　つかれた**

❷ A : Does your father like ***natto***?

あなたのお父さんは納豆が好きですか?

B : No. He (never) eats it.

いいえ。彼は決してそれを食べません。

**❶ never　決して〜ない**
2 often　よく
3 usually　たいてい
4 always　いつも

❸ A : Has the movie started (yet)?

映画はもう始まりましたか?

B : No. It will start in ten minutes.

いいえ。10 分後に始まります。

1 later　あとで
**❷ yet　(疑問文で) もう，(否定文で) まだ**
3 before　以前に
4 ago　〜前に

START

**4** A : How was the concert at the park yesterday?

昨日の公園でのコンサートはどうでしたか？

B : Well, the park was (full) of people and I couldn't move.

ええと，公園は人でいっぱいで，動けませんでした。

1 deep 深い
2 heavy 重い
**3 full いっぱいの**
4 strong 強い

**5** A : Are you going to do anything (during) summer vacation?

あなたは夏休みの間に何かすることはありますか？

B : Yes. I'm going to visit my grandparents in Nagano.

はい。私は長野にいる祖父母をたずねる予定です。

1 between （2つのもの）の間に （例） between A and B

**2 during （特定の期間）の間に** summer vacation 夏休み（=特定の期間）

3 above ～の上に （例） above my head

4 among （3つ以上のもの）の間に （例） among girls

**6** A : Is there (anyone) [that speaks French] at this restaurant?

このレストランにはだれかフランス語を話す人はいますか？

B : Yes. I speak French.

はい。私がフランス語を話します。

1 anyway とにかく
2 somewhere どこか
3 something 何か
**4 anyone だれか**

GOAL

準備 問題 解答

# レッスン3 熟語 おぼえる熟語40

このページをおぼえてから問題をとこう。上級者ならこのページを見ずにとこう。

03

| | | | | | |
|---|---|---|---|---|---|
| ～ and so on | 熟 | ～など | first of all | 熟 | まず最初に |
| as much as possible | 熟 | できるかぎり | for example | 熟 | たとえば |
| be famous for ～ | 熟 | ～で有名だ | hope to *do* | 熟 | ～することを望む |
| be interested in ～ | 熟 | ～にきょうみがある | how about ～ ? | 熟 | ～はどうだろうか? |
| be proud of ～ | 熟 | ～をほこりに思う | how to *do* | 熟 | ～の仕方 |
| because of ～ | 熟 | ～のせいで，～が理由で | in a frying pan | 熟 | フライパンで |
| become good friends | 熟 | 友だちになる，仲良くなる | in front of ～ | 熟 | ～の前で |
| call ～ back | 熟 | ～に折り返し電話する | in many ways | 熟 | さまざまなやり方で |
| come from ～ | 熟 | ～にゆらいする | in other words | 熟 | 言いかえれば |
| come true | 熟 | (夢などが)かなう，実現する | instead of ～ | 熟 | ～のかわりに |

START

GOAL

| | | |
|---|---|---|
| it is well known that ～ | 熟 | ～ということがよく知られている |
| just a part | 熟 | ほんの一部 |
| look after ～ | 熟 | 見送る，～の世話をする |
| look forward to ～ | 熟 | ～を楽しみに待つ |
| look like ～ | 熟 | ～に似ている |
| make A from B | 熟 | BからAを作る |
| more than ～ | 熟 | ～より多くの |
| not ～ very much | 熟 | あまり～でない |
| of course | 熟 | もちろん |
| on the other hand, | 熟 | 一方で， |

| | | |
|---|---|---|
| right now | 熟 | ちょうど今，すぐに |
| stay at ～ | 熟 | ～に滞在する |
| such as ～ | 熟 | ～のような |
| take care of ～ | 熟 | ～の世話をする |
| take place | 熟 | 起こる，行われる |
| Thank you for *doing*. | 熟 | ～してくれてありがとう。 |
| try *one's* best | 熟 | ベストをつくす |
| way to *do* | 熟 | ～の仕方 |
| worry about ～ | 熟 | ～について心配する |
| write back | 熟 | 返事を書く，返信する |

# レッスン 3 熟語

次の(1)〜(6)までの（　　　）に入れるのに最も適切なものを 1，2，3，4 の中から 1 つ選び，その番号を○で囲みなさい。

**1** Miso is made (　　　) soybeans.

1 to　　2 for
3 with　　4 from

**2** A : Hello, this is Amy.  May I speak to Tim?
B : Speaking.  Sorry, but I'm busy right now.  Can I call you (　　　) later?

1 back　　2 away
3 together　　4 near

**3** We have (　　　) our best for three months for our school festival.

1 used　　2 tried
3 arrived　　4 waited

「単語はなんとかおぼえられるけど、熟語はぜんぜんおぼえられない」という人、じつはとても多いんです。見たことがある単語の組み合わせでも、新しい単語と同じだと思って、おぼえるのがコツ

❹ A : I want to be a teacher in the future.

B : I hope your dream will (　　　) true.

1 do　　2 hurt

3 bring　　4 come

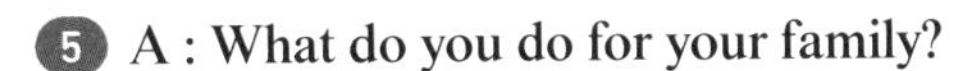

❺ A : What do you do for your family?

B : I look (　　　) my little brother.

1 before　　2 after

3 of　　4 into

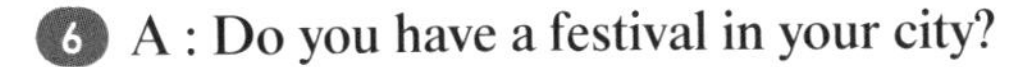

❻ A : Do you have a festival in your city?

B : Yes. A big festival takes (　　　) every year.

1 place　　2 party

3 meeting　　4 time

動詞や形容詞と前置詞（of, out, in, on, with など）の組み合わせが決まっているので、そのセットをしっかりおぼえよう

## レッスン 3

**1** Miso is made (from) soybeans.

みそは大豆(だいず)からできている。

1 to　　2 for
3 with　　**4 from**

make A from B「BからAを作る」の受け身。fromは原材料の形が変わるときに使う

**2** A : Hello, this is Amy. May I speak to Tim?

もしもし，エイミーです。ティムをおねがいできますか?

B : Speaking. Sorry, but I'm busy right now.

私です。すみませんが，今いそがしいです。

Can I call you (back) later?

あとであなたに折り返し電話してもいいですか?

**1 back** 折り返して　　2 away はなれて
3 together いっしょに　　4 near 近くに

**3** We have (tried) our best for three months for our school festival.

私たちは学園祭のために3か月間ベストをつくしてきました。

1 used　use「～を使う」の過去形・過去分詞
**2 tried**　try「～をやってみる」の過去形・過去分詞
3 arrived　arrive「着く」の過去形・過去分詞
4 waited　wait「待つ」の過去形・過去分詞

try one's best「ベストをつくす」

START

**4** A : I want to be a teacher in the future.

私は将来，先生になりたいです。

B : I hope your dream will (come) true.

私は，あなたの夢がかなうことをねがっています。

1 do　～をする　　2 hurt　きずつける
3 bring　持ってくる　　**4 come　～になる**

come true「(夢などが)かなう，実現する」

**5** A : What do you do for your family?

あなたは家族のために何をしますか?

B : I look (after) my little brother.

私は弟の世話をします。

look after ～「～の世話をする」= take care of ～

1 before　～の前に　　**2 after　～のあとに**
3 of　～の　　4 into　～の中へ

**6** A : Do you have a festival in your city?

あなたの市ではお祭りがありますか?

B : Yes. A big festival takes (place) every year.

はい。大きなお祭りが毎年行われます。

**1 place　場所**　　2 party　パーティー
3 meeting　ミーティング　　4 time　時間

take place「行われる」= be held

GOAL

# レッスン 4 文法

## これはおぼえておこう　過去形・過去分詞リスト 10

04

| 原形 | 過去形 | 過去分詞 | 意味 |
|---|---|---|---|
| break | broke | broken | ～をこわす |
| do | did | done | ～をする |
| eat | ate | eaten | ～を食べる |
| give | gave | given | ～を与える |
| go | went | gone | 行く |
| know | knew | known | ～を知っている |
| see | saw | seen | ～に会う，～を見る |
| speak | spoke | spoken | ～を話す |
| take | took | taken | ～を取る |
| write | wrote | written | ～を書く |

不規則変化する過去分詞には原形や過去形に n や en をつけたものが多いね！

## これはおぼえておこう　比較変化リスト 10

| 原級 | 比較級 | 最上級 | 意味 |
|---|---|---|---|
| big | bigger | the biggest | 大きい |
| small | smaller | the smallest | 小さい |
| tall | taller | the tallest | (身長が)高い |
| short | shorter | the shortest | (身長が)低い，みじかい |
| famous | more famous | the most famous | 有名な |
| popular | more popular | the most popular | 人気のある |
| good | better | the best | 良い |
| bad | worse | the worst | 悪い |
| well | better | the best | 上手い |
| many/much | more | the most | 多い |

基本的に比較級には -er、そして最上級には the -est がつくよ。そして、長めの単語には more か the most を前に置くよ

# 重要文法ピックアップ

## 1. 動名詞

Playing soccer is fun.

サッカーをすることは楽しい。

動詞を -ing 形にすると「～すること」の意味になる。

finish や enjoy のあとの動詞は -ing 形にする。

## 2. 不定詞の三用法

### (1) 名詞的用法

To play soccer is fun.

サッカーをすることは楽しい。

動名詞と同じく to ＋動詞の原形で「～すること」の意味になる。

want や decide、hope のあとの動詞は to ＋動詞の原形の形にする。

### (2) 形容詞的用法

I want time to study.

私は勉強する時間がほしい。

名詞＋ to ＋動詞の原形で「～する名詞」の意味になる。

### (3) 副詞的用法

I went to the library to read a book.

私は本を読むために図書館へ行った。

目的を表す to ＋動詞の原形は「～するために」の意味になる。

### 3. 比較

I am **taller than** my brother. I am **the tallest** in my family.

私は兄より背が高い。　私は家族の中でもっとも背が高い。

比較級＋ than ○○で「○○より～だ」の意味。

また、the 最上級で「もっとも～だ」の意味になる。

---

### 4. 現在完了の三用法

現在完了は have(has)＋過去分詞で表す。

#### ⑴ 継続用法

I **have lived** in Kyoto for 10 years.

私は10年間ずっと京都に住んでいる。

以前から継続していることは現在完了で表す。

キーワード：for ～「～間」、since ～「～以来」

#### ⑵ 経験用法

He **has been to** Italy three times.

彼はイタリアに3回行ったことがある。

今までに経験したことを現在完了で表す。

キーワード：once「一度」、twice「2回」、～ times「～回」、
never「一度も～ない」

#### ⑶ 完了用法

She **has already eaten** her breakfast.

彼女は朝ごはんをすでに食べてしまった。

すでに終わってしまった行動を現在完了で表す。

キーワード：already「(肯定文で) すでに」
yet「(否定文で) まだ」「(疑問文で) もう」
just「ちょうど」

肯定文(こうていぶん)は、疑問文や否定文ではないふつうの文のことだよ

### 5. 受動態

受動態は be 動詞＋過去分詞で表す。

This book was written by my grandfather.

この本は私の祖父によって書かれた（私の祖父が書いた）。

受動態＋ by ○○で「○○によって〜される」の意味になる。
be 動詞の形で、現在か過去かがわかるよ。

### 6. 間接疑問文

I don't know where my uncle lives.

私はおじさんがどこに住んでいるのか知らない。

where や when、what、who、how などの疑問詞のあとに、疑問文ではなく、ふつうの順番で主語・動詞を置くことがある。where の場合は例文のように「（どこで）〜するのか」という意味になる。

### 7. 関係代名詞

#### (1) 関係代名詞 who

I saw a man [who was born in London].

私は［ロンドンで生まれた］男性に会いました。

先行詞の a man を関係代名詞 who からあとで修飾（＝説明）する。例文は先行詞 a man が単数形なので、who のあとは was。

#### (2) 関係代名詞 which

Do you have the novel [which your mother gave to you last week]?

［あなたのお母さんが先週くれた］小説を持っていますか？

先行詞の the novel を関係代名詞 which からあとで説明する。
先行詞が人なら who、物や動物なら which を使う。
関係代名詞の that はどんな先行詞にも使えるよ。

# レッスン4 文法

次の(1)〜(6)までの（　　）に入れるのに最も適切なものを 1，2，3，4 の中から 1 つ選び，その番号を○で囲みなさい。

(1) I don't (　　) swimming in cold water.

1 want　　2 decide
3 like　　4 hope

(2) A : What do you often do when you have time?
B : (　　) to music is my hobby.

1 Listen　　2 Listens
3 Listened　　4 To listen

(3) A : You speak English very well.
B : Oh, thank you. But my sister speaks it (　　) than I.

1 more　　2 better
3 most　　4 best

**4** Emily and I have (　　　) each other for more than ten years.

1 broken　　2 spoken
3 known　　4 seen

**5** A : Please tell us where (　　　) went last weekend.
B : OK.  I went to Nara with my family.

1 you　　2 to
3 did　　4 for

**6** We need a person who (　　　) care of animals.

1 take　　2 takes
3 to take　　4 taken

問題数は少ないけれど、3級では文法問題も出題されるよ。中学2・3年生でならう文法問題が出題されるんだ。まだならっていない文法は、ここで基本的なことを学ぼう

準備 問題 **解答**

# レッスン 4

## 動名詞

**1** I don't (like) swimming in cold water.

私はつめたい水の中で泳ぐのが好きじゃない。

1 want ～がほしい
2 decide ～を決める
**3 like ～が好き**
4 hope ～を望む

like＋動名詞(または不定詞)で「～することが好き」の意味になる。
want、decide、hope はすべて、その後ろに to 不定詞がくる

## 不定詞の名詞的用法

**2** A : What do you often do when you have time?

あなたは時間があるときに、よく何をしますか？

B : (To listen) to music is my hobby.

音楽を聞くことが私のしゅみです。

1 Listen 原形
2 Listens 三人称単数現在形
3 Listened 過去形・過去分詞
**4 To listen 不定詞**

To listen to ～で「～を聞くこと」の意味になる。
選択肢にはないが、Listening to ～でも、同じ「～を聞くこと」の意味になる

## 比較

**3** A : You speak English very well.

あなたは英語をとても上手に話しますね。

B : Oh, thank you. But my sister speaks it (better) than I.

あら、ありがとう。でも、私の姉は私より上手に話すわ。

1 more many/much の比較級
**2 better good/well の比較級**
3 most many/much の最上級
4 best good/well の最上級

( ) の後ろに than I「私よりも」とあるので、比較級を使う。
better は well の比較級で「より上手に」の意味になる

START

**現在完了の継続用法**

❹ Emily and I have (known) each other for more than ten years.

エミリーと私は10年間より長い間，お互いにずっと知り合いだ。

1 broken　breakの過去分詞
2 spoken　speakの過去分詞
❸ **known**　knowの過去分詞
4 seen　seeの過去分詞

(　)の後ろのeach otherとfor more than ten yearsというキーワードから、「ずっとお互いに知っている」という意味を予想する

**間接疑問文**

❺ A : Please tell us where (you) went last weekend.

先週末あなたがどこに行ったのか私たちに教えてください。

B : OK.  I went to Nara with my family.

いいよ。私は家族と奈良に行ったよ。

❶ **you**　2 to
3 did　4 for

where you wentで「あなたがどこに行ったのか」の意味になる。疑問詞のwhereがあるので、didを使いたくなるが、間接疑問文は通常の疑問文のようにWhere did you goとはならない。またwhere to goで「どこに行くのか」の意味になるが、今回はwentがあるので不可

**関係代名詞**

❻ We need a person who (takes) care of animals.

私たちは動物の世話をする人を必要としている。

1 take　❷ **takes**
3 to take　4 taken

関係代名詞whoの先行詞が単数形のa personだ。whoはa personの代わりなので、takeではなく三人称単数のtakesが適切になる

GOAL

# レッスン 5 会話表現 おぼえる表現 20

このページをおぼえてから問題をとこう。上級者ならこのページを見ずにとこう。

05

| | |
|---|---|
| Attention, please. | [アナウンスなどで]ご注意ください。 |
| Can I take a message? | 伝言(メッセージ)をもらっておきましょうか? |
| For here or to go? | 店内で食べますか，それとも持ち帰りですか? |
| Good luck. | 幸運をいのります。 |
| Guess what. | ねえ。あのさ。 |
| Have a nice trip. | よい旅行を。 |
| Help yourself to ～. | (料理などを)<br>自由に自分でとって食べてください。 |
| Here we go. | さあ行きましょう。 |
| Here you are. | (物を渡すときに)はい，どうぞ。 |
| Hold on, please. | (電話を)切らずにお待ちください。 |

START

GOAL

| | |
|---|---|
| I'll be right back. | すぐもどります。 |
| I'm new here. | 私はよそ者なのです。 |
| Is this seat taken? | この席は使っていますか? |
| It's my pleasure. | どういたしまして。 |
| Just a moment. | 少々お待ちください。 |
| May I speak to ～? | (電話で)～と話すことができますか? |
| Same to you. | あなたも。 |
| Shall we ～? | ～しませんか? |
| What's up? | どうしたのですか? |
| You have the wrong number. | 番号をおまちがえです。 |

# レッスン 5 会話表現

次の⑴〜⑹までの（　　）に入れるのに最も適切なものを 1，2，3，4 の中から 1 つ選び，その番号を○で囲みなさい。

**1** Son　　: Mom, I have a math test today.
Mother : (　　　)

1 I'm afraid not.
2 Here you are.
3 Good luck.
4 I'd love to.

**2** Customer : Can I have a chicken sandwich and a cola, please?
Clerk　　: (　　　)

1 Is this seat taken?
2 Have a nice trip.
3 It's my pleasure.
4 For here or to go?

**3** Daughter : Can you (　　　) school tomorrow, Dad?
Father　: Sorry, but I'll go to the office very early by car.

1 drive me to
2 move around at
3 invite me to
4 stay up at

START

❹ A : Hello, this is Yutaka. May I speak to Judy?
B : Sorry, she's out now. (　　　)
1 Hold on, please.
2 Just a moment.
3 Can I take a message?
4 Speaking.

❺ A : Can I eat these dishes?
B : Yes. (　　　)
1 Guess what.
2 Here we go.
3 Help yourself.
4 Thanks anyway.

❻ A : (　　　)
B : It's wonderful. I've made a lot of friends.
1 When will your new class begin?
2 How do you like your new class?
3 What do you hope for your new class?
4 How many students are there in your class?

このパートは、会話表現の知識がもとめられるよ。AとBの対話の流れを読み取り、正しい語句をえらぼう。解答のポイントは（　）の後ろにつづく文（相手の返答など）まできちんと読むことだ

GOAL

# レッスン 5

❶ Son : Mom, I have a math test today.

息子： お母さん，ぼくは今日，数学のテストがあるんだ。

Mother : (Good luck.)

母親： がんばって。

1 I'm afraid not. 残念ながらそうではないようです。

2 Here you are. はい，どうぞ。

**❸ Good luck.** がんばって。(幸運をいのります)

4 I'd love to. ぜひそうしたいです。

❷ Customer : Can I have a chicken sandwich and a cola, please?

客： チキンサンドイッチとコーラをいただけますか？

Clerk : (For here or to go?)

店員： 店内で食べますか，それとも持ち帰りですか？

1 Is this seat taken? この席は使っていますか？

2 Have a nice trip. 良い旅を。

3 It's my pleasure. どういたしまして。

**❹ For here or to go?** 店内で食べますか，それとも持ち帰りですか？

❸ Daughter : Can you (drive me to) school tomorrow, Dad?

娘： 明日，学校まで私を車で送ってくれる，お父さん？

Father : Sorry, but I'll go to the office very early by car.

父親： ごめん，私は車でとても早く会社に行くんだ。

**❶ drive me to** ～まで私を車で送る

2 move around at ～で動き回る

3 invite me to ～へ私を招待する

4 stay up at ～で夜ふかしする

❹ A : Hello, this is Yutaka. May I speak to Judy?
もしもし、ユタカです。ジュディーと話すことができますか？

B : Sorry, she's out now. (**Can I take a message?**)
すみません、彼女は外出中です。伝言(メッセージ)をもらっておきましょうか？

1 Hold on, please. 切らずにお待ちください。
2 Just a moment. 少々お待ちください。
❸ **Can I take a message?** 伝言(メッセージ)をもらっておきましょうか？
4 Speaking. 私です(私が話しています)。

❺ A : Can I eat these dishes?
これらの料理を食べていいのですか？

B : Yes. (**Help yourself.**)
ええ。ご自由にどうぞ。

1 Guess what. ねえ。
2 Here we go. さあ行きましょう。
❸ **Help yourself.** ご自由にどうぞ(自分でとって食べて)。
4 Thanks anyway. とにかくありがとうございます。

❻ A : (**How do you like your new class?**)
あなたの新しいクラスはどうですか？

B : It's wonderful. I've made a lot of friends.
すばらしいです。私はたくさん友だちを作りました。

1 When will your new class begin?
あなたの新しいクラスはいつ始まりますか？
❷ **How do you like your new class?**
あなたの新しいクラスはどうですか？
3 What do you hope for your new class?
あなたは新しいクラスに何を望みますか？
4 How many students are there in your class?
あなたのクラスに生徒は何人いますか？

準備 ＞ 問題 ＞ 解答

# レッスン 6 長文 おぼえる単語・表現 20

このページをおぼえてから問題をとこう。上級者ならこのページを見ずにとこう。

06

| | | |
|---|---|---|
| a kind of ～ | 熟 | ～の一種 |
| at almost the same time | 熟 | ほとんど同時に |
| at that time | 熟 | 当時，その時に |
| be made in ～ | 熟 | ～で作られる |
| by the way | 熟 | ところで |
| cuisine | 名 | 料理 |
| eat out | 熟 | 外食する |
| extremely | 副 | 非常に，きょくたんに |
| in fact | 熟 | じっさい，実は |
| in that case | 熟 | その場合 |

START

GOAL

| | | |
|---|---|---|
| in those days | 熟 | 当時，あのころは |
| just a few minutes' walk | 熟 | 歩いてほんの数分 |
| more and more | 熟 | ますます，だんだん |
| necessary | 形 | 必要な |
| open days | 名 | 営業日 |
| open hours | 名 | 営業時間 |
| recommend | 動 | ～をすすめる |
| start to *do* | 熟 | ～しはじめる |
| various | 形 | さまざまな |
| Why don't you~? | 熟 | ～しませんか? |

# レッスン 6 長文(広告・掲示)

次の掲示の内容に関して，(1)と(2)の質問に対する答えとして最も適切なもの，または文を完成させるのに最も適切なものを 1，2，3，4 の中から 1 つ選び，その番号を○で囲みなさい。

**Please try our food and drinks!**

We will open a new restaurant, "Forest Café" at Windmill University on September 21. Why don't you visit our restaurant for lunch or to have some tea?

**Open days:** From Monday to Friday
**Open hours:** 11:00 a.m. – 3:00 p.m.

We will serve lunch from 11:00 a.m. to 1:00 p.m. (lunch time). And you can have tea, coffee and cakes from 1:00 p.m. to 3:00 p.m. (tea time). We are waiting for your visit!

In September, we will also offer special services! During lunch time, you can have any dish for four dollars. During tea time, if you order a cake, you can have a tea or coffee for free. Please don't miss this chance!

**1** What is this notice about?

1. The times for eating lunch at the university.
2. A new place to eat and drink at the university.
3. Cooking lessons held at the university.
4. People who work for a restaurant at the university.

**2** If you visit "Forest Café" from 1:00 p.m. to 3:00 p.m. in September,

1. you can have all cakes for four dollars.
2. you can use the place to wait for someone.
3. you can have lunch at a lower price.
4. you can get a free drink by ordering a cake.

ここでは、すべての情報を理解する必要はないよ。先に質問を読んでから、答えをさがすように読もう。これは「スキャニング」という高度な読解テクニック！　ただし、一応最初から最後まで目を通そう。最後にヒントが眠っていることもあるからね

# レッスン 6

**Please try our food and drinks!**
試す

❶ We will open a new restaurant, "Forest Café" at Windmill University
私たちは9月21日に、ウィンドミル大学に新しいレストラン「フォレスト・カフェ」をオープ
on September 21. Why don't you visit our restaurant for lunch or to
ンします。 〜しませんか?
have some tea?

**Open days:** From Monday to Friday
営業日
**Open hours:** 11:00 a.m. – 3:00 p.m.
営業時間

We will serve lunch from 11:00 a.m. to 1:00 p.m. (lunch time). And
〜を出す
you can have tea, coffee and cakes ❷ from 1:00 p.m. to 3:00 p.m.
午後1時から午後3時(ティータイム)
(tea time). We are waiting for your visit!
〜を待つ

In September, we will also offer special services! During lunch time, you
〜を提供する 特別サービス 〜の間
can have any dish for four dollars. ❷ During tea time, if you order a
料理 ドル ティータイムの間は、 もしケーキを
cake, you can have a tea or coffee for free. Please don't miss this chance!
注文すれば、紅茶かコーヒーを無料でもらえます。 〜をのがす 機会

**1** What is this notice about? このお知らせは何についてのものですか？

1 The times for eating lunch at the university.
大学で昼食を食べるための時間。

**2 A new place to eat and drink at the university.**
**大学で食べたりのんだりするための新しい場所。**

3 Cooking lessons held at the university.
大学で開かれている料理レッスン。

4 People who work for a restaurant at the university.
大学のレストランではたらく人々。

**2** If you visit "Forest Café" from 1:00 p.m. to 3:00 p.m. in September,
もし9月に，午後1時から午後3時までに「フォレスト・カフェ」をおとずれたら，

1 you can have all cakes for four dollars.
すべてのケーキを4ドルで食べることができます。

2 you can use the place to wait for someone.
その場所を，だれかを待つために使うことができます。

3 you can have lunch at a lower price.
昼食をより安い価格で食べることができます。

**4 you can get a free drink by ordering a cake.**
**ケーキを注文することで，無料ののみ物をもらえます。**

【訳】私たちの食べ物とのみ物を試してください！

❶私たちは9月21日に，ウィンドミル大学に新しいレストラン「フォレスト・カフェ」をオープンします。昼食のためやお茶をのむために，私たちのレストランをたずねてはどうですか？
営業日：月曜日から金曜日まで
営業時間：午前11時から午後3時まで
私たちは午前11時から午後1時まで（ランチタイム）には昼食をお出しします。そして❷午後1時から午後3時（ティータイム）には紅茶やコーヒーをのみ，ケーキを食べていただけます。私たちはあなたの訪問をお待ちしています！
9月は，私たちは特別なサービスも提供します！　ランチタイムの間は，すべての料理を4ドルでおめし上がりいただけます。❷ティータイムの間は，もしケーキを注文すれば，紅茶かコーヒーを無料でもらえます。この機会をお見のがしなく！

# レッスン 6 長文（メール）

次のＥメールの内容に関して，(3)から(5)までの質問に対する答えとして最も適切なものを１，２，３，４の中から１つ選び，その番号を◯で囲みなさい。

From: Mark Roberts
To: Minatoya Ryokan
Date: July 14
Subject: About your meals

Hello,
I'm Mark. Next month, some of my friends are going to visit me in Japan. I'm going to travel in Japan with them, and we are planning to stay at your *ryokan*. I would like to ask you about the meals served at your *ryokan*. One of my friends is a vegetarian.* He doesn't eat meat or fish, so he's worrying about the meals in Japan. If he can have dinner and breakfast at your *ryokan*, it will be the best. Or, if he can't have vegetarian meals at your *ryokan*, we will eat out. In that case, are there any restaurants that serve meals for vegetarians around your *ryokan*?

Sincerely,
Mark Roberts

（注） vegetarian：ベジタリアン，菜食主義者

3 When will Mark and his friends stay at Minatoya Ryokan?

1 In June.

2 In July.

3 In August.

4 In September.

From: Minatoya Ryokan
To: Mark Roberts
Date: July 15
Subject: Re: About your meals

Hello Mr. Roberts,
I'm Ryohei Shimizu, the manager* of Minatoya Ryokan. Thank you for choosing our *ryokan*. I'll tell you about our meals. We can serve dishes cooked with only vegetables, but I have to tell you one thing. In Japanese cuisine,* fish broth* is used very often, and we use it too. I'm afraid your friend cannot eat our meals if he minds* that. If you eat out, there is a good restaurant for *shojin* cuisine. At that restaurant, you can enjoy dishes that are made without any meat or fish. It is near our *ryokan*, just a few minutes' walk from here. When we have guests who are vegetarians, we often recommend* the restaurant to them, and most of them like it. I hope this information helps you.

Sincerely,
Ryohei Shimizu

（注） manager：支配人　cuisine：料理　broth：だし
mind：～を気にする　recommend：すすめる

**4** Where can Mark and his friends eat *shojin* cuisine?

1. Near Minatoya Ryokan.
2. In Minatoya Ryokan.
3. Near the station.
4. They can't eat it.

From: Mark Roberts
To: Ryohei Shimizu
Date: July 17
Subject: Thank you

Hello Ryohei,
Thank you for writing me back soon and your kind information. I asked my vegetarian friend about fish broth, and he said it was OK. So, I think we can have meals at your *ryokan*. But also, we are interested in the restaurant for *shojin* cuisine. Is it open during lunch time? If it is, we'd like to have lunch at the restaurant, and eat breakfast and dinner at your *ryokan*. Anyway, we are looking forward to staying at your *ryokan* and enjoying Japanese meals.

Sincerely,
Mark

5 What should Ryohei tell Mark in the next e-mail?

1. The price of the stay at Minatoya Ryokan.
2. The opening hours of the restaurant of *shojin* cuisine.
3. The time of breakfast and dinner at Minatoya Ryokan.
4. The distance between Minatoya Ryokan and the restaurant.

ここでも、まずは設問の質問文を読もう。まず何を聞かれているかの確認をして、メールの本文の中の答えをさがそう。4つの選択肢は読まなくてもOK。それぞれのメールがだれとだれのやり取りなのか、宛名と差出人、そして日付をかならず確認しよう

準備 問題 **解答**

START

From: Mark Roberts　送信元：マーク・ロバーツ
To: Minatoya Ryokan　宛先：みなとや旅館
Date: ❸ July 14　日付：7月14日
Subject: About your meals　件名：食事について

Hello,

I'm Mark. ❸ **Next month, some of my friends are going to visit me in Japan.** I'm going to travel in Japan with them, and ❸ **we are planning to stay at your *ryokan*.** I would like to ask you about the meals [served at your *ryokan*]. One of my friends is a vegetarian. He doesn't eat meat or fish, so he's worrying about the meals in Japan. If he can have dinner and breakfast at your *ryokan*, it will be the best. Or, if he can't have vegetarian meals at your *ryokan*, we will eat out. In that case, are there any restaurants [that serve meals for vegetarians] around your *ryokan*?

来月（＝8月），私の友人の何人かが日本にいる私をたずねる予定です。／旅行する／彼らと／私たちはあなたがたの旅館にとまろうと計画しています。／あなたがたに質問したいです／あなたがたの旅館で出される食事／肉や魚／～を心配している／夕食と朝食／いちばん良い／外食する／その場合／～はありますか／ベジタリアン用の食事を出すレストラン

Sincerely,　敬具（＝メールや手紙を終えるときの決まり文句）
Mark Roberts　マーク・ロバーツ

❸ **When will Mark and his friends stay at Minatoya Ryokan?**
マークと彼の友人たちはいつ，みなとや旅館にとまるでしょうか？

1 In June.　6月。
2 In July.　7月。
❸ **In August.**　8月。
4 In September.　9月。

**【訳】**

こんにちは，
私はマークです。❸来月，私の友人の何人かが日本にいる私をたずねる予定です。私は彼らといっしょに日本を旅行する予定で，❸私たちはあなたがたの旅館にとまろうと計画しています。私はあなたがたの旅館で出される食事についておうかがいしたいです。私の友人の1人はベジタリアンです。彼は肉や魚を食べないので，彼は日本での食事について心配しています。もし彼があなたがたの旅館で夕食と朝食をとれるなら，それがいちばん良いです。もしくは，あなたがたの旅館でベジタリアン向けの食事をとれないのであれば，私たちは外食するつもりです。その場合，あなたがたの旅館のまわりに，ベジタリアン向けの食事を出すレストランはありますか？

GOAL

From: Minatoya Ryokan 送信元：みなとや旅館
To: Mark Roberts 宛先：マーク・ロバーツ
Date: July 15 日付：7月15日
Subject: Re: About your meals 件名：食事についての返事

Hello Mr. Roberts,
I'm Ryohei Shimizu, the manager of Minatoya Ryokan.
Thank you for choosing (～をえらんでくれてありがとう) our *ryokan*. I'll tell you about our meals. We can serve dishes (料理) cooked with only vegetables (野菜だけで料理された), but I have to (～しなければならない) tell you one thing. In Japanese cuisine (日本料理), fish broth is used (魚のだしが使われる) very often, and we use it too. I'm afraid (～ではないかと思う) your friend cannot eat our meals if he minds (～を気にする) that. ❹ If you eat out, there is a good restaurant for *shojin* cuisine. (外食されるのなら，精進(しょうじん)料理の良い店がございます。) At that restaurant, you can enjoy dishes that are made without any meat or fish (肉や魚をまったく使わないで作られた料理). ❹ It is near our *ryokan*, just a few minutes' walk from here. (それ(＝精進料理の良い店)は私たちの旅館の近くにあり，ここから歩いてほんの数分です。) When we have guests who are vegetarians (ベジタリアンのお客様), we often recommend (～をおすすめする) the restaurant to them, and most of them (彼らのほとんど) like it. I hope (～をねがう) this information (情報) helps (役に立つ) you.

Sincerely, 敬具
Ryohei Shimizu 清水亮平

❹ **Where can Mark and his friends eat *shojin* cuisine?**
マークと彼の友人たちはどこで精進料理を食べることができますか？

1. **Near Minatoya Ryokan.** みなとや旅館の近く。
2. **In Minatoya Ryokan.** みなとや旅館の中。
3. **Near the station.** 駅の近く。
4. **They can't eat it.** 彼らはそれを食べることができません。

**【訳】**

こんにちはロバーツ様，
私はみなとや旅館の支配人をしております，清水亮平です。私どもの旅館をおえらびくださりありがとうございます。私どもの食事についてお伝えします。野菜だけで作られた料理をお出しすることはできますが，１つお伝えしなければならないことがあります。日本料理では，魚のだしがとてもよく使われ，私どもも使います。もしご友人様がそれを気にするのであれば，残念ながら私どもの食事をおめし上がりいただけないと思います。❹**外食されるのなら，精進料理の良い店がございます。**その店では肉や魚をまったく使わずに作られた料理をお楽しみいただけます。❹**私どもの旅館の近くにあり，ここから歩いてほんの数分です。**私どもはベジタリアンのお客様をお迎えするとき，よくその店をおすすめしており，ほとんどの方が気に入っています。この情報がお客様のお役に立てればと思います。

From: Mark Roberts 送信元：マーク・ロバーツ
To: Ryohei Shimizu 宛先：清水亮平
Date: July 17 日付：7月 17 日
Subject: Thank you 件名：ありがとう

Hello Ryohei,
Thank you for writing me back (私に返信する) soon and your kind (親切な) information. I asked my vegetarian friend about fish broth (魚のだし), and he said (彼は言った) it was OK (それは OK だと). So, I think we can have meals at your *ryokan*. ❺ But also (しかしまた), we are interested in (私たちはきょうみがあります) the restaurant for *shojin* cuisine (その精進料理の店にも). Is it open during lunch time? (ランチタイムの間に開いていますか?) If it is (もしそうなら), we'd like to (〜したい) have lunch at the restaurant, and eat breakfast and dinner at your *ryokan*. Anyway (とにかく), we are looking forward to (〜を楽しみに待っている) staying at your *ryokan* and enjoying Japanese meals.

Sincerely, 敬具
Mark マーク

❺ **What should Ryohei tell Mark in the next e-mail?**
亮平は次のメールで，マークに何を伝えるべきですか？

1. **The price of the stay at Minatoya Ryokan.**
   みなとや旅館の宿泊費。
2. **The opening hours of the restaurant of *shojin* cuisine.**
   精進料理の店の営業時間。
3. **The time of breakfast and dinner at Minatoya Ryokan.**
   みなとや旅館での，朝食と夕食の時間。
4. **The distance between Minatoya Ryokan and the restaurant.**
   みなとや旅館とレストランとの間の距離。

**【訳】**

こんにちは亮平さん，
すぐに返事をくれたこと，そして親切な情報をありがとうございます。私がベジタリアンの友人に魚のだしについてたずねたところ，だいじょうぶと言っていました。だから私たちは旅館で食事をとれると思います。❺しかしまた，私はその精進料理の店にもきょうみがあります。ランチタイムの間に開いていますか？　もし開いているなら，私たちは昼食はその店でとって，朝食と夕食は旅館で食べたいと思っています。とにかく，私たちはあなたがたの旅館にとまって，日本料理を楽しむことを楽しみに待っています。

# レッスン 6 長文（説明文）

次の英文の内容に関して，⑹から⑽までの質問に対する答えとして最も適切なもの，または文を完成させるのに最も適切なものを 1，2，3，4 の中から 1 つ選び，その番号を◯で囲みなさい。

**Cars**

Today, cars are necessary for our life. When was the car made? The first car in the world was made in 1769 in France. It was steam-powered,* and it could run only at a speed of 10km/h.

One day, this car crashed* into a wall. That was the first car accident in the world. At that time, most people moved and carried things by carriage.*

（注） steam-powered：蒸気（じょうき）で動く
crash：衝突（しょうとつ）する
carriage：馬車

6 What is true about the first car in the world?

1 It was made in the U.S.
2 It got into a car accident.
3 It was carried by carriage.
4 It carried a lot of people.

Now, electric cars are becoming more and more popular. In fact, they have a longer history than gasoline* cars. They were invented in the 1830s. Also, the first car that ran at a speed of 100km/h was an electric car. Around 1885, engine cars were born in Germany. Two Germans made the first gasoline cars at almost the same time. At that time, people could see three kinds of cars: steam-powered cars, electric cars and gasoline cars.

In 1895, the first car race was held in France. Fifteen gasoline cars, six steam-powered cars and one electric car joined it.

Among those 22 cars, only nine reached the goal, and eight of them were gasoline cars. People started to think the gasoline cars were the best of the three.

(注) gasoline：ガソリン(の)

**7** Which kind of car ran at a speed of 100km/h for the first time?

1 A carriage.

2 A steam-powered car.

3 An electric car.

4 A gasoline car.

**8** How many gasoline cars reached the goal in the race in 1895?

1 Eight.

2 Nine.

3 Seventeen.

4 Twenty-two.

In those days, only rich people could get a car in Europe. But this situation changed little by little in the U.S. It is a large country, so many people wanted gasoline cars. For those people, Henry Ford founded* Ford Motor Company in 1903. And one of their cars, the Ford Model T, changed the history of cars. It wasn't expensive but was easy to drive. It became extremely* popular, and about 15,000,000 Ford Model Ts were made by 1927.

（注） found：～を創設する　　extremely：非常に，きょくたんに

**9** What was a good point about the Ford Model T?

1. It was large.
2. It was expensive.
3. People could drive it easily.
4. It could run fast.

**10** What is this story about?

1. The way to make steam-powered cars.
2. Good points about electric cars.
3. The life of Henry Ford.
4. The history of various kinds of cars.

4段落で構成される、とても長い長文だけれど、ここでも「スキャニング」が役に立つよ。どんなに長くてもかならず答えは本文に書かれているので、答えをさがすように読むんだ。また、基本的には1段落につき1つの設問が用意されているので、段落ごとに順番に読めば大丈夫だよ

準備 問題 解答

START

# レッスン 6

## Cars
車

Today, cars are necessary for our life. When was the car made?
必要な 生活 いつ

❻ **The first car in the world** was made in 1769 in France. It was steam-powered, and it could run only at a speed of 10km/h.
世界で最初の車 フランス それ(=世界で最初の車)はじょう気で動いた ～できた 時速10キロの速さで

❻ **One day, this car crashed into a wall. That was the first car accident in the world.** At that time, most people moved and carried things by carriage.
ある日，この自動車はかべにぶつかりました。それが世界で最初の自動車事故でした。 移動する 馬車

❻ What is true about the first car in the world?
世界で最初の自動車についてあてはまるのはどれか？

1. It was made in the U.S. アメリカで作られた。
2. **It got into a car accident.** 自動車事故を起こした。
3. It was carried by carriage. 馬車ではこばれた。
4. It carried a lot of people. たくさんの人をはこんだ。

GOAL

Now, electric cars are becoming more and more popular. In fact,
電気自動車 ますます人気のある じっさい
they have a longer history than gasoline cars. They were invented in
～より長い歴史 それら(=ガソリン車)は発明された
the 1830s. ❼ Also, the first car [that ran at a speed of 100km/h] was
また、時速 100 キロメートルで走った最初の自動車は電気自動車でした。
an electric car. Around 1885, engine cars were born in Germany. Two
およそ 生まれた ドイツ 2人の
Germans made the first gasoline cars at almost the same time. At that
ドイツ人 ほとんど同時に
time, people could see three kinds of cars: steam-powered cars, electric
3種類の
cars and gasoline cars.

In 1895, the first car race was held in France. Fifteen gasoline cars,
開かれた
six steam-powered cars and one electric car joined it. ❽ Among those
参加した それら 22 台の自動
22 cars, only nine reached the goal, and eight of them were gasoline cars.
車の中で、ゴールに着いたのは 9 台だけで、それら(=9 台の車)の中で 8 台がガソリン自動車でした。
People started to think the gasoline cars were the best of the three.
考え始めた

❼ Which kind of car ran at a speed of 100km/h for the first time?
どの種類の車が初めて時速 100 キロメートルで走ったか？

1. A carriage. 馬車。
2. A steam-powered car. じょう気自動車。
3. **An electric car. 電気自動車。**
4. A gasoline car. ガソリン自動車。

❽ How many gasoline cars reached the goal in the race in 1895?
何台のガソリン自動車が 1895 年のレースで、ゴールに着いたか？

1. **Eight. 8 台。**
2. Nine. 9 台。
3. Seventeen. 17 台。
4. Twenty-two. 22 台。

In those days, only rich people could get a car in Europe. But this situation changed little by little in the U.S. It is a large country, so many people wanted gasoline cars. For those people, Henry Ford founded Ford Motor Company in 1903. And one of their cars, the Ford Model T, changed the history of cars. ⑨ **It wasn't expensive but was easy to drive.** It became extremely popular, and about 15,000,000 Ford Model Ts were made by 1927.

当時 / 金持ちな / ヨーロッパで / 状況 / 変わる / 少しずつ / アメリカで / = the U.S. / 大きな / だから / ～のために / ヘンリー・フォード / ～を設立した / フォード・モデルT(=車の名前) / 車の歴史 / それは高価ではなく、しかし運転しやすいものでした。 / =フォード・モデルT / 非常に / 作られた / ～までに

⑨ What was a good point about the Ford Model T?
フォード・モデルTの良い点は何だったか?

1 It was large. 大きかった。

2 It was expensive. 高価だった。

**3 People could drive it easily.** 人々がかんたんに運転することができた。

4 It could run fast. 速く走ることができた。

⑩ What is this story about?
この話は何についてのものか? 文章全体のテーマを考える

1 The way to make steam-powered cars.
じょう気自動車の作り方。

2 Good points about electric cars.
電気自動車の良い点。

3 The life of Henry Ford.
ヘンリー・フォードの人生。

**4 The history of various kinds of cars.**
さまざまな種類の自動車の歴史。

START

GOAL

## 【訳】車

現代では，自動車は私たちの生活に必要なものです。自動車はいつ作られたのでしょう？❻**世界で最初の自動車は**1769年にフランスで作られました。それはじょう気で動き，時速10キロメートルの速さでしか走れませんでした。

❻**ある日，**この自動車はかべにぶつかりました。**それが世界で最初の自動車事故でした。**そのころ，ほとんどの人は馬車で移動したり，物をはこんだりしていました。

今では電気自動車がだんだん一般的になってきています。じつは，それらはガソリン自動車よりも長い歴史があります。それらは1830年代に発明されました。❼**また，時速100キロメートルで走った最初の自動車は電気自動車でした。**1885年ごろ，エンジン自動車がドイツで生まれました。2人のドイツ人がほぼ同時に，最初のガソリン自動車を作りました。その当時，人々はじょう気自動車，電気自動車，そしてガソリン自動車という3種類の車を見ることができました。

1895年に，最初の自動車レースがフランスで開かれました。15台のガソリン自動車，6台のじょう気自動車，そして1台の電気自動車が参加しました。❽**これら22台の自動車の中で，ゴールに着いたのは9台だけで，そのうち8台がガソリン自動車でした。**人々はガソリン自動車が3種類の中でいちばん良いと考え始めました。

その当時，ヨーロッパでは金持ちな人しか自動車を入手することはできませんでした。しかしこの状況はアメリカで少しずつ変わりました。広大な国なので，多くの人々がガソリン自動車をほしいと思ったのです。そんな人々のために，ヘンリー・フォードは1903年にフォード・モーター社を創設しました。そしてその車の1つ，フォード・モデルTが自動車の歴史を変えました。❾**それは高価ではなく，しかし運転しやすいものでした。**それは非常に人気になり，1927年までに約1500万台のフォード・モデルTが作られました。

# 第3章 リスニング

LISTENING

英検
3級
# リスニング　心得

## 1 はじめに

3級は4級と比べて音声のスピードは速くなり、読まれる英文の量もかなりふえているよ。ちなみに、リスニングがにがてな人は、主に次の4つのタイプに分けられるよ。

## 2 リスニングがにがてな人の4つのタイプ

### ①英語の音を聞き取るのがにがてな人

このタイプの人は、音読練習が効果的だよ。LやR、THなどの日本語にない音やget up、a lot ofなどの「つなげて発音される単語」が聞き取れない人は、まず発音練習だ！　発音できる英語はかならず聞き取ることができるよ

### ②英語の音を聞き取れても意味がわからない人

このタイプの人は、シンプルに語彙（ごい）力不足！リスニングにかぎらず色々な問題をといて、たくさん単語をおぼえよう。
ただし、そのときに発音の確認と練習をわすれずに。単語を見ればわかるのに、聞くとわからない場合は、発音練習がたりない証拠だ

### ③スピードについていけない人

このタイプの人は英語の速さに合わせた音読練習が効果的だよ。ふだんゆっくりと自分のペースで発音している人が多いはず。英検3級のスピードを目指して、音読練習をしてみよう。発音する速さが上がれば、聞き取れる速さもかならず上がるよ

START

GOAL

### ④集中がつづかない人

このタイプの人は、ふだんあまり英語を聞く時間がない人だね。3級では約25分間も英語を聞きつづける必要がある。教科書や問題集のリスニングで、長い時間、英語を聞いてとく練習をしよう。まずは1日5分から始めて10分、15分とのばしていこう

## 3　第1部　会話のあとの応答を選択する問題

第1部は男女の会話を聞いて、そのあとの応答に適（てき）するセリフを答える問題だ。男女が交互に話をするので、それをきちんと聞き分けよう。イラストはあるけど、1回しか流れなくて、選択肢も書いてないので、集中力が必要だよ。聞きのがさないようにね。

## 4　第2部　会話のあとの質問に答える問題

第2部では放送が2回流れる。1回目で内容をおおまかに理解して、2回目で確認できるよ。1回目の疑問文を聞いたあとの、2回目の対話文でしっかりと答えを確認するように聞こう。

## 5　第3部　英文のあとの質問に答える問題

第3部は、選択肢の英文が書かれているので、事前に読んで問題の内容を予想するのがベストだ。

また、第3部はいちばんむずかしいけれど、いちばん配点も高いと予想される。リーディングの長文読解問題と同じで、昔の得点システムでは、第3部の配点がほかの部の2倍だったんだ。かなり長くて、むずかしい文法や表現の英文が流れるから、にがてな人は、といたあとにかならずスクリプト（原稿）を確認しよう。

準備 問題 解答

# レッスン 1 リスニング よく出る単語・表現①

このページをおぼえてから問題をとこう。上級者ならこのページを見ずにとこう。

07

| | | |
|---|---|---|
| a cup of ～ | 熟 | 1杯の～ |
| Anything else? | | 他に何か（注文はありますか）？ |
| Are you ready to order? | 熟 | ご注文はお決まりですか？ |
| Can I leave a message? | | 伝言（メッセージ）をのこしてもいいですか？ |
| Don't worry. | | ご心配なく。 |
| from ～ to ... | 熟 | ～から…まで |
| go back to ～ | 熟 | ～に帰る |
| go *doing* | 熟 | ～しに行く |
| How long ～ ? | | どのくらい～ですか？ |
| look for ～ | 熟 | ～をさがす |
| May I help you? | | いらっしゃいませ。 |
| miss | 動 | ～に乗りおくれる |
| No, that's all. | | いいえ、それだけです。 |
| on the street | 熟 | 道で |
| play with ～ | 熟 | ～と遊ぶ |
| Shall I ～ ? | 熟 | ～しましょうか？ |
| Sounds good. | 熟 | いいですね。 |
| sure | 形 | 確信している，もちろん |
| take a bath | 熟 | ふろに入る |
| travel in ～ | 熟 | ～を旅行する |

準備　**問題**　解答

START

# レッスン 1 第1部

※英文は一度だけ放送されます。

**イラストを参考にしながら対話と応答を聞き，最も適切な応答を1，2，3の中から1つ選びなさい。** 08

**No. 1** 1 2 3 09

**No. 2** 1 2 3 10

**No. 3** 1 2 3 11

**No. 4** 1 2 3 12

**No. 5** 1 2 3 13

**No. 6** 1 2 3 14

イラストはあくまでイメージの補助的役割だ。イラストに答えはのっていないので、しっかり放送を聞くことが大事だよ

GOAL

## スクリプトと解説

09

**No.1**

☆ What do you do after school?
放課後は何をしますか？

★ I often play the guitar.
私はよくギターをひきます。

☆ Wow! Can you teach me?
わあ！教えてもらえますか？

1 Two guitars. 2本のギターです。

2 In my room. 私の部屋で。

**3 Sure. もちろんです。**

▶ Can you ～?「～してくれませんか？」というお願いにこたえている③「もちろんです」が正解。

10

**No.2**

☆ May I help you?
いらっしゃいませ。(=お手伝いしましょうか?) ※店員の決まり文句

★ Yes, please. I'd like a cheeseburger, please.
はい。チーズバーガーをおねがいします。

☆ All right. Anything else?
わかりました。他に何か(注文はありますか)?

1 You're welcome. どういたしまして。

**2 No, that's all. いいえ、それでぜんぶです。**

3 Don't worry. ご心配なく。

▶女性の「他に何か（注文はありますか）？」にたいする返事。②の「いいえ、それでぜんぶです」が正解だよ。

11

No.3

☆ Excuse me, I missed the train.
すいません，電車に乗り遅れました。

★ Don't worry. The next one comes soon.
ご心配なく，次の電車はすぐに来ます。

☆ **When will it come?**
それはいつ来ますか？

1 **It'll arrive in 5 minutes.** 5分後に到着します。

2 You need a ticket. きっぷが必要ですね。

3 I can help you. お手伝いしますよ。

▶「いつ来ますか」にたいする答えとして，時間を答えている①が正解。

12

No.4

☆ The math homework was difficult, wasn't it?
数学の宿題はむずかしかったよね？

★ Really? It was easy for me.
ほんとうに？ ぼくにとってはかんたんだったよ。

☆ **How long did it take to finish it?**
それを終わらせるのに，どのくらい時間がかかった？

1 **An hour.** 1時間です。

2 Five meters long. 長さ5m。

3 It was hard. 大変でした。

▶ took は take の過去形で，〈it take(s) ＋時間〉で「(時間) がかかる」の意味。かかる時間を答えている①の「1時間」が正解。

13

No.5

☆ Tom, are you going to bed now?
トム、もう、寝るの？

★ Yes, Mom. I have to get up at five tomorrow.
うん、ママ。明日は5時に起きなきゃいけないんだ。

☆ At five? Why will you get up so early?
5時？どうしてそんなに早く起きるの？

1 Before five o'clock. 5時前に。

**2 To go fishing.** 魚つりに行くために。

3 Wake me up early. 早く起こして。

▶ Why ～？「なぜ～？」の疑問文にたいしては、Because ～.「なぜなら～だからです」、または To ～.「～するためです」で答えるので、ここでは②の「魚つりに行くためです」が正解だよ。
go fishing ＝「魚つりに行く」

14

No.6

★ Have you ever been to any foreign countries, Nina?
ニナ、外国に行ったことがある？

☆ Yes, John. I visited Australia last year.
ええ、ジョン。去年オーストラリアに行ったんだ。

★ I see. How about other countries?
そうなんだね。ほかの国はどう？

1 Three years ago. 3年前です。

**2 No, but I want to.** いいえ、でも行きたいです。

3 You should visit Australia. オーストラリアに行った方がいいです。

▶「ほかの国はどうですか（＝行ったことはありますか）？」にたいする返事。②の「いいえ、でも行きたいです」が正解だよ。
have been to ～＝「～に行ったことがある」

準備　問題　解答

START ▼ ▼ ▼ ▼ ▼ ▼ ▼ ▼ ▼ ▼ ▼ ▼ ▼ ▼ ▼ ▼ ▼ ▼ ▼ ▼ ▼ GOAL

# レッスン 2 リスニング　よく出る単語・表現②

このページをおぼえてから問題をとこう。上級者ならこのページを見ずにとこう。

15

| | | |
|---|---|---|
| abroad | 副 | 外国に，外国で |
| be born in 〜 | 熟 | 〜で生まれる |
| both | 形 | 両方の |
| Can I take this seat? | | この席を使ってもいいですか？ |
| dish | 名 | おさら，料理 |
| Do you have any ideas? | | 何か考えはありますか？ |
| go out | 熟 | 外出する |
| have two trips | | 2回旅行に行く |
| I have no idea. | | わかりません。 |
| I'm glad to *do*. | | 〜してうれしく思う。 |
| not 〜 anymore | 熟 | これ以上〜ない |
| often | 形 | よく，たびたび，しばしば |
| over there | 熟 | あそこに，向こうに |
| sick | 形 | 病気の，ぐあいが悪い |
| talk with 〜 | 熟 | 〜と話す |
| watch | 名 | うで時計（動詞なら「〜を見る」） |
| What happened? | | 何があったのですか？ |
| What kind of 〜 ? | | どんな種類の〜か？ |
| What would you like for a drink? | | のみ物は何がいいですか？ |
| Would you like some more? | | もっとほしいですか？ |

# レッスン 2 第2部

※英文は二度，放送されます。

**対話と質問を聞き，その答えとして最も適切なものを 1，2，3，4 の中から 1 つ選びなさい。16**

No. 1 17

1. 148 centimeters.
2. 155 centimeters.
3. 158 centimeters.
4. 185 centimeters.

No. 2 18

1. Emily.
2. Emily's brother.
3. Emily's father.
4. Emily's mother.

No. 3 19

1. To teach Japanese.
2. To be an English teacher.
3. To be a nurse.
4. To help sick people.

No. 4 20

1. Ken.
2. Ken's father.
3. Ken's mother.
4. Ken's brother.

No. 5 21

1. Chicken lunch with tea.
2. Chicken lunch with coffee.
3. Beef lunch with tea.
4. Beef lunch with coffee.

No. 6 22

1. Meet the woman's friend.
2. Sit next to the woman.
3. Look for a seat for the woman.
4. Give the woman his seat.

選択肢の英文が表記されているので、事前に予想ができるよ。選択肢の種類（動詞・形容詞・名詞・日付・数・時間・場所など）を確認して、何に気をつけて聞くべきかイメージしよう

## スクリプトと解説

17

**No.1**

★ Oh, Olivia, are you taller than your mother now?
おお、オリビア、お母さんより背が高くなったんだね？

☆ Yeah, daddy. I'm 158 centimeters tall and she's 155 centimeters tall. How about you?
うん、パパ。私は158cmで、彼女（＝お母さん）は155cmだよ。パパは？

★ I'm 185 centimeters tall.
ぼくは185cmだよ。

Question: How tall is Olivia's mother?
質問：オリビアの母親の身長はどのくらいですか？

1 148 centimeters.
148 cm。

**2 155 centimeters.**
155 cm。

3 158 centimeters.
158 cm。

4 185 centimeters.
185 cm。

▶だれの身長なのか注意して聞こうね。オリビアのセリフのsheが母親を指しているよ。

18

**No.2**

★ Emily, what are you doing?
エミリー、何してるんだい？

☆ I'm doing my homework, Dad. What about you?
宿題してるよ、パパ。パパはどう？

★ I'm washing the dishes. Can you help me? Your mother is going shopping now.
おさらを洗ってるよ。手伝ってくれる？お母さんは今，買い物に行ってるんだ。

Question: Who is washing the dishes?
質問：だれがおさらを洗っていますか？

1 Emily.
エミリー。

2 Emily's brother.
エミリーの兄（弟）。

**3 Emily's father.**
エミリーの父親。

4 Emily's mother.
エミリーの母親。

▶3つ目のセリフで、男性（＝エミリーの父親）が「私はおさらを洗っています」と言っているよ。

19

No.3

☆ What do you want to be in the future, Akira?
アキラは将来何になりたいの？

★ A Japanese teacher. **I want to teach Japanese overseas.**
日本語教師だよ。海外で日本語を教えたいんだ。

How about you, Nancy?
ナンシーはどう？

☆ My dream is to be a nurse. I want to help sick people.
私の夢は看護師になることなんだ。病気の人を助けたいの。

★ That's great.
それはすごいね。

Question: What is the boy's dream in the future?
質問：少年の将来の夢は何でしょう？

**1 To teach Japanese.**
**日本語を教えること。**

2 To be an English teacher.
英語教師になること。

3 To be a nurse.
看護師になること。

4 To help sick people.
病気の人々を助けること。

▶アキラは「海外で日本語を教えたい」と言っているよ。

20

No.4

☆ Ken, your father speaks English well.
ケン，あなたのお父さんは英語が上手なんだね。

★ Yeah, **because he was born in Hawaii.**
ええ，彼（＝父）はハワイで生まれたからですね。

☆ Really. Were you born there, too?
本当？ あなたもそこで生まれたの？

★ No, I was not. My brother and I were born in Japan.
いいえ，そうではありません。兄（弟）とぼくは日本で生まれました。

Question: Who was born in Hawaii?
質問：ハワイで生まれたのはだれですか？

1 Ken.
ケン。

**2 Ken's father.**
**ケンの父親。**

3 Ken's mother.
ケンの母親。

4 Ken's brother.
ケンの兄（弟）。

▶２つ目のセリフに「彼（＝ケンの父）はハワイで生まれた」とあるね。

21

**No.5**

☆ Which would you like, chicken or beef?
チキンとビーフどちらになさいますか？

★ **I'll have the beef lunch.** 私はビーフランチにします（を食べます）。

☆ All right. What would you like for a drink? We have tea and coffee.
わかりました。のみ物は何がいいですか？　紅茶とコーヒーがあります。

★ Then, **a cup of hot coffee, please.** では、ホットコーヒーを1杯おねがいします。

Question: What will the man have?
質問：男性は何を食べるでしょうか？

1 Chicken lunch with tea. チキンランチと紅茶。

2 Chicken lunch with coffee. チキンランチとコーヒー。

3 Beef lunch with tea. ビーフランチと紅茶。

**4 Beef lunch with coffee.** ビーフランチとコーヒー。

▶男性はビーフランチとホットコーヒーをたのんでいるよ。haveには「～を食べる」という意味もあるよ。

22

**No.6**

★ Excuse me. **Can I take this seat?** 失礼します。この席を使ってもいいですか？

☆ I'm sorry, but **a friend of mine will come later and sit next to me.**
申し訳ありませんが，私の友人があとで来て，私のとなりに座ります。

★ All right. I'll look for another seat, then.
わかりました。では，ほかの席をさがしますね。

☆ I think every seat is already taken. もうどの席もうまっていると思いますよ。

Question: What did the man want to do?
質問：その男性は何をしたかったのでしょうか？

1 Meet the woman's friend. 女性の友人に会う。

**2 Sit next to the woman.** 女性のとなりに座る。

3 Look for a seat for the woman. 女性のために席をさがす。

4 Give the woman his seat. 女性に席をゆずる。

▶男性は「この席を使ってもいいですか？」とたずねているよ。女性のとなりの席に座りたかったことがわかるね。

準備 問題 解答

# レッスン3 リスニング よく出る単語・表現③

このページをおぼえてから問題をとこう。上級者ならこのページを見ずにとこう。

23

| | | |
|---|---|---|
| actually | 副 | じっさいは |
| ～ hour(s) later | 熟 | ～時間後 |
| alone | 形 | ただ1人で |
| arrive at ～ | 熟 | ～に着く |
| be lost | 熟 | 道に迷った |
| either | 代 | どちらも(…ない) |
| especially | 副 | 特に，とりわけ |
| explain | 動 | 説明する |
| favorite | 形 | お気に入りの |
| for a week | 熟 | 1週間 |
| French | 名 | フランス語 |
| How did you come? | | どうやって来ましたか? |
| How often ～? | | どのくらいひんぱんに～するか? |
| in the evening | 熟 | 夕方に |
| novel | 名 | 小説 |
| on *one's* way | 熟 | ～の途中で |
| once a week | 熟 | 週に1回 |
| twice a week | 熟 | 週に2回 |
| three times a week | 熟 | 週に3回 |
| walk *one's* dog | 熟 | 犬を散歩させる |

準備　**問題**　解答

# レッスン 3 第3部

※英文は二度、放送されます。

**英文と質問を聞き，その答えとして最も適切なものを 1，2，3，4 の中から 1 つ選びなさい。** 24

No. 1 25

1. Monday.
2. Tuesday.
3. Wednesday.
4. Thursday.

No. 2 26

1. Have lunch.
2. Practice soccer.
3. See a movie.
4. Do his homework.

No. 3 27

1. She was lost.
2. She was late for the concert.
3. She couldn't eat anything.
4. She didn't have her ticket.

No. 4 28

1. From Monday to Friday.
2. On weekends.
3. Every morning.
4. On Wednesday.

No. 5 29

1. Three hours later.
2. Four hours later.
3. Seven hours later.
4. Eight hours later.

No. 6 30

1. Every day.
2. Once a week.
3. Twice a week.
4. Three times a week.

第2部と同様にできるだけ英語を聞く前に選択肢を読もう。英文が長い上に文法もむずかしくて、過去形や助動詞、不定詞や動名詞など中学2年でならう内容を聞き取れるかが試されるよ

## スクリプトと解説

25

No.1

Yumi is a high school student. Her favorite subject is English.
ユミは高校生です。 彼女の好きな科目は英語です。
It's Tuesday today. She doesn't have an English class today,
今日は火曜日です。 今日は英語の授業はありませんが、
but she has an English class tomorrow.
明日は英語の授業があります。

Question: What day does Yumi study her favorite subject?
質問：ユミは何曜日に好きな教科を勉強しますか？

1 Monday.
月曜。

2 Tuesday.
火曜。

**3 Wednesday.**
水曜。

4 Thursday.
木曜。

▶ユミの好きな教科は英語。今日は火曜日で、明日は英語の授業があると言っているので、ユミの好きな英語を勉強するのは水曜日。

26

No.2

Tom is having lunch now. He practiced soccer in the morning.
トムは今、昼食をとっています。 彼は朝、サッカーの練習をしました。
He will see a movie in the evening. So, he will finish his homework soon after lunch.
夕方には映画を見るつもりです。 だから、昼食後すぐに宿題を終わらせるつもりです。

Question: What will Tom do next?
質問：トムは次に何をするのでしょう？

1 Have lunch.
昼食をとる。

2 Practice soccer.
サッカーの練習をする。

3 See a movie.
映画を見る。

**4 Do his homework.**
宿題をする。

▶トムは今昼食をとっていて、昼食のすぐあとに宿題を終わらせるつもりだと言っているよ。なので、次にすることは宿題。

27

No.3

Ann came to a hall to listen to a concert. She arrived at the hall
アンはコンサートを聞くためにあるホールに来ました。 彼女は早めにホールに到着しました。
early. She had a lot of time, so she had a light meal before the
時間がたくさんあったので、 コンサートの前にかるい食事をとりました。
concert. Then, she found that her ticket wasn't in her bag.
そのとき、彼女はチケットがカバンに入っていないことに気がつきました。

Question: What was Ann's problem?
質問：何がアンにとって問題ですか？

1 She was lost. 彼女は迷子になった。

2 She was late for the concert. 彼女はコンサートに遅刻した。

3 She couldn't eat anything. 彼女は何も食べることができなかった。

**4 She didn't have her ticket.** 彼女はチケットを持っていなかった。

▶「彼女（＝アン）は自分のチケットがカバンに入っていないことに気づきました」と言っているので、これを言いかえた④が正解。

28

No.4

In George's family, every member has a job. His mother cooks
ジョージの家族では全員が仕事（役割）を持っています。 母親は月曜から金曜まで
dinner from Monday to Friday, and his father does that on
夕食を作り、 父親は週末に夕食を作ります。
weekends. George walks his dog every morning and cleans the
ジョージは毎朝イヌのさんぽをし、 水曜には
bath on Wednesday.
おふろをそうじします。

Question: When does George have to clean the bath?
質問：ジョージはいつふろをそうじしなければなりませんか？

1 From Monday to Friday.
月曜から金曜まで。

2 On weekends.
週末に。

3 Every morning.
毎朝。

**4 On Wednesday.**
水曜日に。

▶3文目で「ジョージは水曜にふろをそうじする」と言っているよ。

29

No.5

Thank you for visiting our shopping mall. It's Saturday today
いつも当ショッピングモールをご利用いただき，ありがとうございます。今日は土曜日，
and the time is 5:00 in the evening now. From Monday to Friday,
今は午後5時です。当店は，月曜日から金曜日までは，
we are open from 10:00 a.m. to 7:00 p.m. On Saturday and
午前10時から午後7時まで営業しております。土曜日と
Sunday, we open at 9:00 a.m. and close at 8:00 p.m. Please enjoy
日曜日は，午前9時に開店し午後8時に閉店します。どうぞ，当店での
shopping at our stores.
お買い物をお楽しみください。

Question: When will the shopping mall be closed today?
質問：今日，ショッピングモールはいつ閉店しますか？

1 **Three hours later.** 3時間後。
2 Four hours later. 4時間後。
3 Seven hours later. 7時間後。
4 Eight hours later. 8時間後。

▶今日は土曜日で、今の時刻は午後５時。土曜日と日曜日は午後８時に閉まるので、閉店は３時間後となる。

30

No.6

Hi. I'm Masashi. I like to play the guitar. I want to practice it
こんにちはマサシです。ぼくはギターをひくのが好きです。毎日練習したいです。
every day, but I have tennis lessons from Tuesday to Saturday.
でも，火曜日から土曜日までテニスのレッスンがあります。
So I can practice it only on Monday and Sunday.
だから，月曜日と日曜日だけ練習できます。

Question: How often does Masashi practice playing the guitar?
質問：マサシはどれくらいひんぱんにギターをひく練習をしているのでしょうか？

1 Every day. 毎日。
2 Once a week. 週に1回。
3 **Twice a week.** 週に2回。
4 Three times a week. 週に3回。

▶最後の文から「月曜日と日曜日だけ練習できる」とあるので、ギターは週２回の練習だとわかるね。テニスの練習とまちがえないように注意。

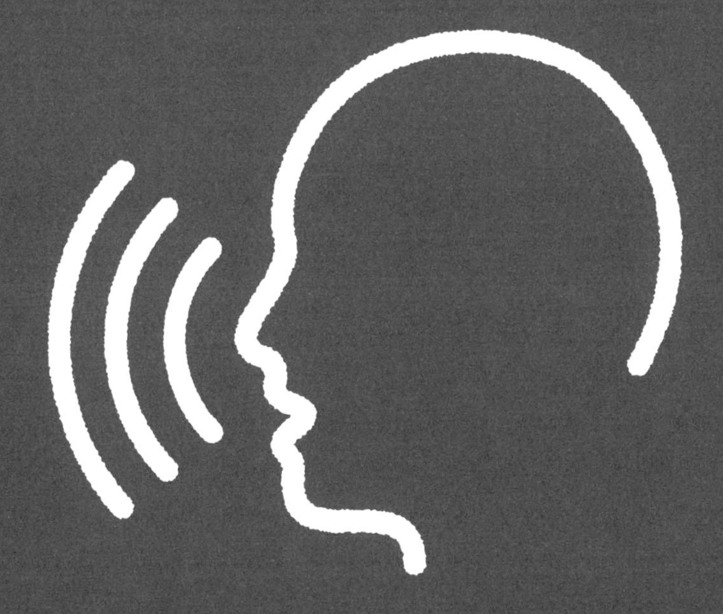

第4章

# スピーキング

SPEAKING

# 英検3級 スピーキング　心得

## 1 はじめに

スピーキング（面接試験）は、いちばん対策がしづらいセクション。スピーキングの練習をするには相手が必要だよね。

でも、大丈夫。このテキストには面接練習用の動画がついているので、その動画で面接の練習をしよう。

ふつうの試験では、一次試験に合格したら、試験のおよそ1か月後に受験するので、準備する時間がある。けれど、S-CBT（パソコンでの受験形式）で受験する人は、リーディングなどと同じ日に受験するので、ほかのセクションといっしょに準備を進めよう。

スピーキングテストは大きく分けて5つのパートがあるよ。

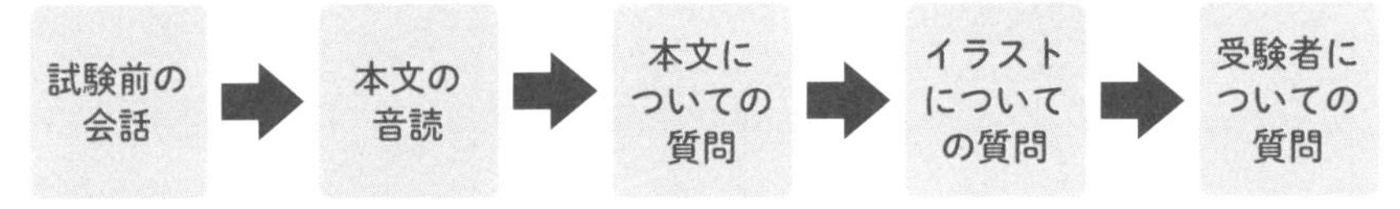


※じっさいの試験のときは、本文とイラストの入ったカードがわたされます。S-CBTの場合は、画面に本文やイラストがうつります。

START

## 2 試験前の会話

### （1）ふつうの試験の場合　31　01

試験が始まるまでの会話の例がこちら。（部屋に入るところから）

受験者　**May I come in?**　※ドアをノックした後のセリフです
入ってもいいですか？

面接官　**Sure. / OK, come in. など**
もちろん。／いいよ，入って。

受験者　**Thank you.**
ありがとうございます。

面接官　**Hello.**
こんにちは。

受験者　**Hello.**
こんにちは。

面接官　**Can I have your card, please?**
あなたのカードをもらえますか？

受験者　**Here you are.**　※当日、受付でもらう面接カードをわたす
はい，どうぞ。

面接官　**Please sit down.**
どうぞ，すわってください。

受験者　**OK. Thank you.**
ありがとうございます。

面接官　**My name is Hitoshi Fukagawa.　May I have your name, please?**
私の名前は深川 仁志です。　あなたの名前は？

受験者　**My name is Kana Yamada.**
私の名前は山田 かなです。

面接官　**Ms. Yamada, this is the Grade 3 test, OK?**
山田さん，これは3級のテストですが，いいですか？

受験者　**OK.**
良いです。

面接官　**Ms. Yamada, how are you today?**
山田さん，今日は元気ですか？

GOAL

受験者 I'm good, thank you. And you?
私は元気です。ありがとう。あなたはいかがですか？

面接官 Good. Thank you. Let's begin the test.
元気です。ありがとう。テストを始めましょう。

## （2）S-CBT の場合 32

面接官 Hello. My name is Hitoshi Fukagawa.
こんにちは。私の名前は深川 仁志です。
This is the Grade 3 test. Let's start the warm up.
これは3級のテストです。ウォームアップを始めましょう。

面接官 What is your favorite food?
あなたの好きな食べ物は何ですか？

受験者 解答例：My favorite food is a hamburger.
私の好きな食べ物はハンバーガーです。

面接官 What did you eat this morning?
あなたは今朝何を食べましたか？

受験者 解答例：I ate bread.
私はパンを食べました。

面接官 Now, let's start the test.
では、テストを始めましょう。

ここまでの（1）と（2）の会話はすべて採点にはふくまれないので、安心してね。ただ、練習しておいた方が当日きんちょうしなくてすむよ

## 3 音読

### （1）Passage（本文）を 20 秒間、声を出さずに読む。

33

面接官 First, read the passage silently for 20 seconds.
まず、本文を 20 秒間、声を出さずに読みなさい。

### Passage

**Sleep**

It is important to sleep well. There are many ways to get a good sleep. Some people do not use their smartphone before going to bed, so they can sleep well. Sleeping well helps people to live a better life.

20秒間はとってもみじかい！　まずはざっと読もう

### （2）Passage（本文）を音読する

面接官　Now, please read it aloud.
では，それ（＝本文）を声に出して，読みなさい。

わからない単語で止まらずに、読みつづけよう

## 4　本文に関する質問　質問1

34

面接官　Now, I will ask you 5 questions.
では，あなたに5つ質問をします。
No. 1　Please look at the passage.
本文を見てください。
Why can some people sleep well?
なぜ何人かの人々はよく眠れるのですか？

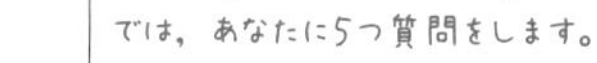

受験者　解答例：Because they do not use their smartphone before going to bed.
なぜなら彼らは寝る前にスマホを使わないから。

答えはpassage（パッセージ＝本文）からさがそう。
so（だから）の前にthey（=some people）can sleep wellの答えが書かれていることに注目しよう

## 5 イラスト　質問 2

提示されたイラスト（絵）を見て答えるよ。　🔊 35

面接官

No. 2 Please look at the picture.
イラスト(絵)を見てください。

How many trees are there in the park?
公園には何本の木がありますか?

受験者

解答例：There are four (trees).
4本あります。

今回は How many trees are there 〜と聞かれたので、 There are 〜を使って木の数を答えれば OK

## 6 イラスト　質問 3

No.2 と同じイラストを見て答えるよ。　🔊 36

面接官

No. 3 Please look at the man with a cap.
ぼうしをかぶった男の人を見てください。

What is the man going to do?
その男の人は何をしようとしていますか?

受験者

解答例：He is going to clean the park.
彼は公園をそうじしようとしています。

is going to do ～で聞かれたら、is going to ～で返せばOK。質問文の文法を使って答えよう

## 7 質疑応答　質問4と5

ここからはあなたのことについての質問に答えるよ。むずかしく考えず、英語で答えられることを答えよう。　37

面接官　Now, Ms. Yamada, please turn over the card.
では、山田さん、カードをひっくり返してください。
No.4 Where would you like to visit in summer?
夏にどこに行きたいですか？

受験者　解答例：I would like to go to a beach.
ビーチに行きたいです。

would you like ～で聞かれたので、I would like ～で行きたいところを答えよう

面接官　No.5 Do you enjoy playing video games?
ゲームをするのを楽しんでいますか？

受験者　解答例：Yes. I play online games every day.
はい。私は毎日オンラインゲームをしています。

受験者　解答例：No. I can't play video games at home.
いいえ。私は家でゲームができません。

Yes. か No. だけで答えたあとは、Why? や Why not? などと聞かれるので、その理由を話せるようにしよう

準備 問題 解答

# レッスン 1 発音もおぼえる単語・表現①

このページをおぼえてから問題をとこう。上級者ならこのページを見ずにとこう。

38

| | | | |
|---|---|---|---|
| a lot of ～ | たくさんの～ | kind(s) | 種類 |
| also | ～もまた | many | たくさんの |
| around ～ | ～の周りに | often | しばしば，よく |
| better | より良い | people | 人々 |
| busy | いそがしい | popular | 人気のある |
| different | ことなる，ちがった | some | いくつかの |
| difficult | むずかしい | there are (is) ～ | ～がある，～がいる |
| easy | かんたんな | together | いっしょに |
| famous | 有名な | usually | ふつうは |
| have to | ～しなくてはならない | with ～ | ～といっしょに |

準備　問題　解答

# レッスン 1 音読　質問 1

Bread

Bread is a popular food around the world. Some people want to make bread by themselves, so they buy a machine to make bread. Now, some companies sell many kinds of bread baking machines.

No.1 39 02

START

GOAL

準備 問題 解答

## レッスン 1

40
02

面接官：First, read the passage silently for 20 seconds.
まず，本文を20秒間，声を出さずに読みなさい。

面接官：Now, please read it aloud.
では，それ(=本文)を声に出して，読みなさい。

20秒間で読めなかった場合は、試験日までに音読の練習を何回もしよう。何度も読むうちに、口がなれてくるよ

もしまったく知らない単語が出てきた場合は、ローマ字読みでもかまわないので、むりやり発音しよう。
たとえカンペキじゃなくても、読まずに止まっているよりも読んだ方がいいよ

読めない単語を少しでもへらすために、ふだんから単語の発音を練習しておこう。見るだけよりも、発音した方が記憶は長持ちするんだ

## 【Question No.1】

面接官：Question No.1

Please look at the passage. Why do some people buy a machine to make bread?

本文を見てください。なぜ何人かの人はパンを作る機械を買うのですか？

解答例：Because they want to make bread by themselves.

なぜなら彼らは自分でパンを作りたいからです。

Bread

パン

Bread is a popular food around the world.

パンは世界中で人気のある食べ物です。

Some people want to make bread by themselves, so they buy a machine to make bread.

何人かの人は自分で（彼ら自身で）パンを作りたいと思っています，だから，彼らはパンを作る機械を買います。

Now, some companies sell many kinds of bread baking machines.

今では，いくつかの会社はたくさんの種類のパン焼き機を売っています。

下線部の文章に注目。so は「だから」という意味になるので、so の前の文章が、they buy a machine to make bread の理由となるんだ。

準備 問題 解答

# レッスン 2 発音もおぼえる単語・表現②

このページをおぼえてから問題をとこう。上級者ならこのページを見ずにとこう。

41

| 動詞 | 進行形 | 意味 |
| --- | --- | --- |
| clean | cleaning | ～をそうじする |
| cook | cooking | 料理する |
| drink | drinking | ～をのむ |
| eat | eating | ～を食べる |
| fly | flying | 飛ぶ |
| hold | holding | ～を持つ |
| make | making | ～を作る |
| play | playing | あそぶ |
| read | reading | ～を読む |
| take | taking | ～を持っていく，～をとる |
| throw | throwing | ～を投げる |
| use | using | ～を使う |
| walk | walking | 歩く |
| write | writing | ～を書く |

| 単語・表現 | 意味 |
| --- | --- |
| how many ～ | いくつの～ |
| under | ～の下に |
| over | ～の上に |
| a cup of | 1杯の～ |
| newspaper | 新聞 |
| salad | サラダ |

※動詞は -ing 形も発音できるようにしよう。

# 2 質問 2・3

No.2　No.3　42　03

準備　問題　解答

## レッスン 2

43 03

面接官：Question No. 2

Please look at the picture.

イラスト(絵)を見てください。

What is the man holding in his hand?

男の人は手に何を持っていますか?

解答例：

He is holding a cup (in his hand).

彼は(手に)カップを持っています。

イラスト中にいろんな人がいるので、だれについて聞いているのかきちんと聞き取ろう。疑問文の主語の the man を he に変えるのを忘れないようにね

ここでは、is holding ～の疑問文で聞かれているので、答えの文にも is holding ～を使えば OK。be 動詞+ ing 形の現在進行形で聞かれたら、現在進行形で答えるようにしよう

44

面接官：Question No. 3

**Please look at the girl in the kitchen.**
キッチンの女の子を見てください。

**What is the girl going to do?**
女の子は何をするつもりですか？

疑問文の主語 the girl を she にかえるのを忘れずに

**解答例：**

**She is going to make a cake.**
彼女はケーキを作るつもりです。

ここでは、is going to ～の疑問文で聞かれているので、答えの文にも is going to を使おう。イラストが「ケーキを（作ったあとに）食べようとしている」に見えたなら、She is going to eat the cake. でも OK

# レッスン3 発音もおぼえる単語・表現③

このページをおぼえてから問題をとこう。上級者ならこのページを見ずにとこう。

45

| | | | |
|---|---|---|---|
| abroad | 海外に，海外で | never | 一度も～ない |
| ever | これまでに，今までに | often | しばしば，よく |
| foreign | 外国の | or | または |
| have been to ～ | ～へ行ったことがある | overseas | 海外に，海外で |
| have visited ～ | ～を訪問したことがある | than ～ | ～よりも |
| How long ～? | どれくらい長く～? | want to do | ～したい |
| How many times ～? | 何回～? | weekdays | 平日 |
| in your free time | あいている時間に | weekends | 週末 |
| like ～ better | ～の方が好き | which | どちらの |
| like to do | ～するのが好き | would like to do | ～したい（ていねいな表現） |

# レッスン3 質問4・5

No. 3が終わると、次の指示が出ます。

面接官：Now, Mr./Ms. ～ , please turn over the card.
では，～さん，カードをひっくり返してください。

受験者：OK.
はい。

No.4　No.5　46　04

スピーキングテストでは気持ちの切りかえが大事

すでに終わった問題のことを考えていると、次の質問が聞き取れなかったり、英語で考えられなかったりする。

それで、のこりの問題に答えられないのはもったいない！

たとえ、うまく答えられなかったとしても、終わった問題のことは忘れて次の問題に集中しよう。

準備 問題 **解答**

## レッスン 3

47 / 04

面接官：Question No. 4

What would you like to eat after this test?

あなたはこのテストのあと，何を食べたいですか?

**解答例：**

I would like to eat a hamburger.

私はハンバーガーを食べたいです。

今回の質問は would you like to ～？「あなたは～したいですか?」と聞かれているので、I would like to ～. か、I'd like to ～. で答えよう

第4問・第5問では、受験者のあなた自身のことについて、質問されます。面接官とできるだけアイコンタクトを取りながら、はっきり答えよう

48

面接官：Question No. 5

Have you ever been abroad?

あなたは今までに海外に行ったことがありますか?

(あなたの答えが Yes なら)

Please tell me more.

もっと教えてください。

(あなたの答えが No なら)

What country do you want to visit?

あなたはどの国に行きたいですか?

**解答例：（Yes. → Please tell me more. にたいして）**

**I have been to Hawaii once.**

私はハワイに一度行ったことがあります。

Please tell me more と聞かれたら、Yes のつづきを答えよう。具体的な答えが必要だよ

**解答例：（No. → What country do you want to visit? にたいして）**

**I want to visit Italy.**

私は、イタリアに行きたいです。

第5問も受験者自身についての質問だ。Yes. / No. と答えたあとに追加の質問があるよ。答えは解答例のようにみじかい文で良いので、きちんと答えよう

**【試験終了】**

答え終わったら、面接官が終わりをつたえてくれます。 49

面接官

Ms. Yamada, this is the end of the test.

山田さん、これでテストを終わります。

May I have your card back, please?

あなたのカードを返してもらえますか？ ※イラストのカードを返します

受験者

Here you are.

はい、どうぞ。

面接官

You may go now. Goodbye.

もう行っていいですよ。さようなら。

受験者

Goodbye. Have a good day.

さようなら。良い1日を。

準備 問題 解答

# 模試直前　単語リスト20

このページをおぼえてから模試をとこう。上級者ならこのページを見ずにとこう。

50

| | | |
|---|---|---|
| a nursing home | 名 | 老人ホーム |
| as ～ | 前 | ～として |
| attend | 動 | ～に出席する |
| avoid | 動 | ～をさける |
| choose | 動 | ～をえらぶ |
| city hall | 名 | 市役所 |
| Congratulations. | | おめでとう。 |
| how to *do* | 熟 | ～の仕方，～する方法 |
| I'm afraid ～. | | 残念ながら～。 |
| in the future | 熟 | 将来に |
| nature | 名 | 自然 |
| pleasure | 名 | よろこび |
| purpose | 名 | 目的 |
| seriously | 形 | まじめに，真剣に |
| several | 形 | いくつかの |
| should | 助 | ～するべきだ |
| such | 形 | それほどの，そんな |
| Thanks anyway. | | とにかくありがとう。 |
| thin | 形 | うすい，ほそい |
| volunteer activity | 名 | ボランティア活動 |

第5章

# 模擬テスト

TEST

試験時間
- 筆記（リーディング・ライティング）………………… 65分
- リスニング……………………………………………… 約25分
- スピーキング………………………………………… 約5分

本番のつもりで時間を計りながらチャレンジ！
試験の順序は従来型とS-CBTで異なるので
6ページで確認しよう

# 1

次の⑴から⒂までの（　　　）に入れるのに最も適切なものを 1，2，3，4 の中から 1 つ選び，その番号を○で囲みなさい。

(*1*) A：Are you (　　　) tomorrow?

B：Yes. I don't have any plans.

1 tired　　2 free
3 sad　　4 busy

(*2*) A：How about this bag?

B：It's too (　　　) for me. I don't have such money.

1 expensive　　2 difficult
3 famous　　4 careful

(*3*) I (　　　) have rice for breakfast, but this morning I had bread.

1 never　　2 badly
3 already　　4 usually

(*4*) A：Why don't you eat out with me for lunch today?

B：Sorry, but I have to (　　　) money this week.

1 finish　　2 save
3 hurry　　4 fill

START

(5) Jane visited a ( ) last Sunday, and she saw a lot of beautiful pictures there.

1 gym　　2 museum
3 restaurant　　4 tower

(6) A : How was the piano contest yesterday?
B : It was great! I won first ( ).

1 pleasure　　2 actor
3 prize　　4 age

(7) A : What do you want to be in the ( )?
B : I want to be an engineer when I grow up.

1 future　　2 middle
3 neighborhood　　4 past

(8) A : When did you ( ) from junior high school?
B : Well, I'm seventeen years old now, so I finished it two years ago.

1 enter　　2 begin
3 bring　　4 graduate

GOAL

(*9*) A：Is it (　　　) to eat dinner in this hotel?

B：Yes. You can choose from various restaurants.

1 helpful　　2 international

3 possible　　4 important

(*10*) Kate will (　　　) care of my dog during my trip.

1 take　　2 give

3 see　　4 look

(*11*) A：Can I go out tomorrow, Mom?

B：You had (　　　) stay home. It will snow.

1 more　　2 better

3 most　　4 good

(*12*) A：Can you tell me which house is yours?

B：Sure. The one (　　　) the park and the post office is mine.

1 during　　2 between

3 for　　4 among

(*13*) My mother (　　　) to learn French two years ago.

| | | | |
|---|---|---|---|
| 1 | finished | 2 | enjoyed |
| 3 | began | 4 | stopped |

(*14*) Do you know that English is (　　　) in this country?

| | | | |
|---|---|---|---|
| 1 | uses | 2 | using |
| 3 | to use | 4 | used |

(*15*) A：Is this the book (　　　) you bought last week?

B：Yes. It is really interesting, so I've already read it.

| | | | |
|---|---|---|---|
| 1 | what | 2 | that |
| 3 | for | 4 | who |

## 2

次の(16)から(20)までの会話について，（　　）に入れるのに最も適切なものを１，２，３，４の中から１つ選び，その番号を○で囲みなさい。

(*16*) Boy：Can I use your eraser?
Girl：Sure.（　　）
Boy：Thanks.

1 Not at all.
2 Here you are.
3 Sounds good.
4 I don't think so.

(*17*) Man：Hello, this is Scott. May I speak to Cindy?
Woman：（　　）What's up, Scott?

1 Hold on, please.
2 Sorry, I can't.
3 Speaking.
4 You have the wrong number.

(*18*) Woman：Do you have any plans for next Sunday?
Man：I want to go fishing. But if it rains, I'll go shopping（　　）going fishing.

1 instead of
2 proud of
3 because of
4 in front of

(*19*) Man：Excuse me. Could you tell me the way to the swimming pool?

Woman：I'm sorry, but I don't know the way. I'm new here.

Man：OK.（　　　）

1 Maybe next time.

2 I'll be right back.

3 I'd be glad to.

4 Thanks anyway.

(*20*) Boy：Can you come to my birthday party on Saturday?

Girl：（　　　）I'm going to visit my aunt on that day.

1 Congratulations.

2 I'm afraid not.

3 Attention, please.

4 Same to you.

## 3A

次の掲示の内容に関して，(*21*) と (*22*) の質問に対する答えとして最も適切なもの，または文を完成させるのに最も適切なものを 1，2，3，4 の中から 1 つ選び，その番号を○で囲みなさい。

### *We need your help!*

We need volunteers who will work for our city. If you live in this city, you can be a member. People of any age can join us! Three groups will do different volunteer activities on different days:

**Group A** will clean the park on July 8.
**Group B** will visit the nursing home* on July 14.
**Group C** will play with children at the kindergarten* on July 9.

If you want to be a volunteer, please e-mail us before July 2. If you join Group A, just come to the park at 8:00 a.m. If you join Group B or C, please attend the meeting at the city hall first. The meeting will be held the day before the day of the volunteer activities. After the volunteer activities, we will give you a free lunch.

(注) nursing home：老人ホーム　kindergarten：ようち園

(*21*) Who can be a volunteer?

1 People who need help.
2 The children at the kindergarten.
3 People who live in the city.
4 Students from other cities.

(*22*) If you want to visit the nursing home as a volunteer, you have to join the meeting

1 on July 8.
2 on July 9.
3 on July 13.
4 on July 14.

## 3B

次のＥメールの内容に関して，(23) から (25) までの質問に対する答えとして最も適切なものを１，２，３，４の中から１つ選び，その番号を◯で囲みなさい。

From: Tim Page
To: Takuya Ono
Date: October 10
Subject: Good news!

Hi Takuya,

I had a wonderful time when you stayed at my home in Canada two years ago. We became good friends, and we have exchanged e-mails since then, haven't we? I have wanted to see you again, and probably, that will come true! My family is planning to go to Japan, so I will be able to meet you! By the way, we have a question. Which is the best season to visit Japan? We want to enjoy the trip as much as possible, so we want your advice. Please write back soon.

Your friend,
Tim

From: Takuya Ono
To: Tim Page
Date: October 12
Subject: I have some questions to ask you

Hello Tim,

Thank you for your e-mail. I'm looking forward to seeing you again, too. I can't wait! Well, you asked me when to come to Japan. To find the best answer, I want to ask you several questions. First, which is better for you, hot weather or cold weather? As you know, I live in

Hokkaido, the coldest part in Japan. If you visit me in winter, it will be really cold. Also, if you visit Tokyo or Kyoto in summer, sometimes the temperature can be over 35℃. Next, what do you want to enjoy in Japan? Different people have different purposes* for traveling, such as experiencing the food, festivals, sightseeing* and so on. I think each season has good points, so I want to know more about you.
Take care,
Takuya

（注） purpose：目的　　sightseeing：観光

From: Tim Page
To: Takuya Ono
Date: October 15
Subject: Thank you

Hi Takuya,

Thank you for thinking seriously* about our trip. I can feel that from your e-mail. Well, I'll answer the questions. First, don't worry about cold weather. In my hometown in Canada, it also gets very cold in winter. On the other hand, summer in our town is cool, so we don't like hot weather very much. That means, we should avoid* summer, right? Next, about the second question, each of us has different purposes. My father is interested in old Japanese buildings. My mother hopes to enjoy beautiful nature. And I, of course, want to see you! Like this, we each have our own purposes for traveling to Japan, but there's one thing we all want to do. We want to enjoy delicious food in Japan! We all love eating, and I hear Hokkaido is famous for its delicious food. Which is the best season to enjoy eating in Japan and Hokkaido? I'm waiting for your answer.
Your friend,

Tim

（注） seriously：まじめに　　avoid：さける

(23) Why did Tim send this e-mail to Takuya?

1 To learn the best season to visit Japan.
2 To meet Takuya in Canada.
3 To know where Takuya lives now.
4 To meet his parents in Japan.

(24) What is the second question from Takuya to Tim about?

1 What the weather in Canada is like.
2 Where Tim's family will visit in Japan.
3 Where Tim wants to meet Takuya in Japan.
4 What Tim's family wants to do in Japan.

(25) What is Tim's father interested in?

1 The weather in Japan.
2 Old buildings and food.
3 Only beautiful nature.
4 The best season in Japan.

**3C** 次の英文の内容に関して，(*26*)から(*30*)までの質問に対する答えとして最も適切なもの，または文を完成させるのに最も適切なものを１，２，３，４の中から１つ選び，その番号を○で囲みなさい。

## *Naan**

It is well known that people in India love curry. There are a lot of Indian restaurants in Japan. At such a restaurant, people can choose from various kinds of curry, and they usually eat them with rice or "naan", flat* bread made from wheat.* Many people may think everyone in India eats naan every day. Is that true? The answer is "No." Some people in India even say they have never eaten naan. Then, what do people in India usually have?

First of all, India is a large country with more than 1,000,000,000 people, so different parts of the country have different food cultures. Then, where does naan come from? It comes from North India and Pakistan. However, even in such areas, few people eat naan every day. Why? The biggest reason is the way to make naan. To make naan, a large, special oven* called a "tandoor"* is needed, but most families don't have it at home. In other words, naan cannot be made at home.

The most popular kind of bread in North India and Pakistan is "chapati".* It is thinner than naan. Naan uses fermented dough*, but chapati doesn't. Also, chapati can be made in a frying pan,* so the bread which is made and eaten the most often at home is chapati.

How about other parts in India? For example, people in South India eat rice almost every day. Also, they use rice in many ways. For example, they make a kind of crepe* from rice flour.* It is called "dosa"*. It is not sweet, and it is often eaten with curry for breakfast. They make flat bread like chapati from rice, too. Like this, naan is just a part of food culture in India.

（注） naan：ナン（インドの食べ物）　flat：たいらな　wheat：小麦
oven：窯（かま）　tandoor：タンドール　chapati：チャパティ
fermented dough：発酵（はっこう）した生地（きじ）
frying pan：フライパン　crepe：クレープ　flour：粉　dosa：ドーサ

(*26*) We can say that naan

1 cannot be seen at Indian restaurants in Japan.

2 is usually made from rice.

3 is not eaten by everyone in India every day.

4 is never eaten in India.

(*27*) Why do few people in India eat naan every day?

1 Because India is a large country with many people.

2 Because it isn't bread which comes from India.

3 Because most families don't like naan.

4 Because it is difficult to cook it at home.

(*28*) Which is true about "chapati"?

1 It isn't very popular.

2 Naan is thinner than chapati.

3 It doesn't need fermented dough.

4 A large oven is needed to make it.

(*29*) What is true about "dosa"?

1 It looks like a crepe.

2 It is made from wheat.

3 It is usually sweet.

4 It is flat bread like chapati.

(*30*) What is this story about?

1 How to make naan.

2 What people in India eat.

3 Differences between naan and rice.

4 Price of bread in India.

# 4 ライティング（Eメール）

ライティングテストは，２つ問題（[4]と[5]）があります。忘れずに，２つの問題に解答してください。この問題はＥメール解答欄に解答を記入してください。

- あなたは，外国人の友達（Emma）から以下のＥメールを受け取りました。Ｅメールを読み，それに対する返信メールを，［　　　　］に英文で書きなさい。
- あなたが書く返信メールの中で，友達（Emma）からの２つの質問（下線部）に対応する内容を，あなた自身で自由に考えて答えなさい。
- あなたが書く返信メールの中で，［　　　　］に書く英文の語数の目安は，15語～25語です。
- 解答は，右側にあるＥメール解答欄に書きなさい。なお解答欄の外に書かれたものは採点されません。
- 解答が友達（Emma）のＥメールに対応していないと判断された場合は，0点と採点されることがあります。友達（Emma）のＥメールの内容をよく読んでから答えてください。
- ［　　　　］の下のBest wishes, の後にあなたの名前を書く必要はありません。

**Hi!**
**Thank you for your e-mail.**
**I heard that you went to a new shopping mall. I want to know more about it. What did you buy there? And what kind of stores does it have?**

**Your friend,**
**Emma**

# Eメール解答欄

**Hi, Emma!**

**Thank you for your e-mail.**

5

10

**Best wishes,**

## 5 ライティング（英作文）

ライティングテストは，２つ問題（4と5）があります。忘れずに，２つの問題に解答してください。この問題は英作文解答欄に解答を記入してください。

- あなたは，外国人の友達から以下の QUESTION をされました。
- QUESTION について，あなたの考えとその理由を２つ英文で書きなさい。
- 語数の目安は 25 語～ 35 語です。
- 解答（かいとう）は，下の英作文解答欄（かいとうらん）に書きなさい。なお，解答欄（かいとうらん）の外に書かれたものは採点（さいてん）されません。
- 解答（かいとう）が QUESTION に対応していないと判断された場合は，0 点と採点（さいてん）されることがあります。QUESTION をよく読んでから答えてください。

**英作文解答欄**

QUESTION

***What country do you want to visit?***

5

10

# 6 リスニングテスト 51

模擬テストのリスニング音声は1つのトラックにまとめています。途中で止めずに試験の雰囲気を体験しましょう。
試験時間は約25分です。

●このテストには，第1部から第3部まであります。

英文は第1部では一度だけ，第2部と第3部では二度，放送されます。

| | |
|---|---|
| 第1部 | イラストを参考にしながら対話と応答を聞き，最も適切な応答を1, 2, 3の中から1つ選びなさい。 |
| 第2部 | 対話と質問を聞き，その答えとして最も適切なものを1, 2, 3, 4の中から1つ選びなさい。 |
| 第3部 | 英文と質問を聞き，その答えとして最も適切なものを1, 2, 3, 4の中から1つ選びなさい。 |

第1部

No. 1

1　2　3

No. 2

1　2　3

No. 3

1 2 3

No. 4

1 2 3

No. 5

1 2 3

No. 6

1 2 3

No. 7

1　2　3

No. 8

1　2　3

No. 9

1　2　3

No. 10

1　2　3

## 第2部

No. 11
1 Only the boy.
2 Only the girl.
3 Both the boy and the girl.
4 No one.

No. 12
1 Studying English.
2 Cooking lunch.
3 Reading a book.
4 Taking a bath.

No. 13
1 One.
2 Two.
3 Three.
4 Four.

No. 14
1 China.
2 Korea.
3 France.
4 Italy.

No. 15
1 Today's lunch was not delicious.
2 She doesn't like chicken.
3 She couldn't make it well.
4 She was full.

**No. 16**

1 Because his father is an English teacher.
2 To teach English to his father.
3 Because his father teaches it to him.
4 To work in London.

**No. 17**

1 Visit his grandparents.
2 Travel in Japan with his family.
3 Go back to his country.
4 Have two trips.

**No. 18**

1 His father didn't give him a watch.
2 He couldn't find his watch.
3 He lost his way.
4 His watch was broken.

**No. 19**

1 She is holding a racket.
2 She has short hair.
3 She is wearing a cap.
4 She is wearing a sweater.

**No. 20**

1 Flowers.
2 A dish.
3 A cup.
4 A bag.

第3部

No. 21
1 Ann.
2 Ann's brother.
3 Ann's mother.
4 Ann's father.

No. 22
1 On Thursday.
2 On Friday.
3 On Saturday.
4 On Sunday.

No. 23
1 900 yen.
2 950 yen.
3 1000 yen.
4 1050 yen.

No. 24
1 10:00.
2 10:10.
3 10:20.
4 10:30.

No. 25
1 About a week.
2 About two weeks.
3 About three weeks.
4 About a month.

**No. 26**
1. Science.
2. Japanese.
3. English.
4. Math.

**No. 27**
1. How to take the train.
2. Where his cousin is.
3. When to have lunch.
4. How to get to the shopping mall.

**No. 28**
1. Never.
2. Once.
3. Twice.
4. Three times.

**No. 29**
1. He found her key.
2. He took the key to the station.
3. He went to the police station with her.
4. He looked for the key with her.

**No. 30**
1. She didn't know where to eat.
2. She couldn't read the menu.
3. The chef spoke only Japanese.
4. The food was too expensive.

# 7 スピーキングテスト 52 05

## *Learning English*

There are many ways to learn English. Some people study on the Internet. Online lessons are cheap and useful, so they are popular with students and parents. Students enjoy talking with foreign people in English.

# 模擬テスト
# 解答・解説

ANSWERS & EXPLANATIONS

## 解答解説 | 1　リーディング

(1)　A：Are you (free) tomorrow?
あなたは明日，ひまですか？
B：Yes.  I don't have any plans.
はい。何も予定はありません。

1　tired　つかれた
2　**free**　ひまな，自由な
3　sad　悲しい
4　busy　いそがしい

(2)　A：How about this bag?
このカバンはどうですか？
B：It's too (expensive) for me.  I don't have such money.
それは私には高すぎます。私はそんなお金を持っていません。

1　**expensive**（ねだんが）高い
2　difficult　むずかしい
3　famous　有名な
4　careful　注意ぶかい

(3)　I (usually) have rice for breakfast, but this morning I had bread.
私はふだん朝食にごはんを食べますが，今朝はパンを食べました。

1　never　決して～ない
2　badly　わるく，ひどく
3　already　すでに
4　**usually**　ふだん，たいてい

(4)　A：Why don't you eat out with me for lunch today?
今日，私といっしょに昼食を外で食べませんか？
B：Sorry, but I have to (save) money this week.
すみませんが，私は今週，お金をせつやくしなければなりません。

1　finish　を終える
2　**save**　をせつやくする
3　hurry　いそぐ
4　fill　をみたす

(5)　Jane visited a (museum) last Sunday, and she saw a lot of beautiful pictures there.
ジェーンはこの前の日曜日，美術館をおとずれ，そこでたくさんの美しい絵を見ました。

1 gym 体育館，ジム　　**2 museum 美術館**
3 restaurant レストラン　　4 tower 塔，タワー

(6)　A：How was the piano contest yesterday?
昨日のピアノコンクールはどうでしたか？
B：It was great! I won first (prize).
すばらしかったです！ 私は1等賞をとりました。

1 pleasure よろこび　　2 actor 俳優，役者
**3 prize 賞**　　4 age 年れい

(7)　A：What do you want to be in the (future)?
あなたは将来何になりたいですか？
B：I want to be an engineer when I grow up.
私は大きくなったら，エンジニアになりたいです。

**1 future 将来**　　2 middle 中間，まん中
3 neighborhood 近所　　4 past 過去

(8)　A：When did you (graduate) from junior high school?
あなたはいつ中学校を卒業しましたか？
B：Well, I'm seventeen years old now, so I finished it two years ago.
ええと，私は今17才なので，私は2年前にそれ(＝中学校)を終えました。

1 enter に入る　　2 begin を始める
3 bring を持ってくる　　**4 graduate 卒業する**

(*9*) A：Is it (possible) to eat dinner in this hotel?

このホテル内で夕食を食べることは可能ですか？

B：Yes. You can choose from various restaurants.

はい。さまざまなレストランからおえらびいただけます。

1 helpful 役に立つ　2 international 国際的な
**3 possible 可能な**　4 important 重要な

(*10*) Kate will (take) care of my dog during my trip.

ケイトは私の旅行中，私のイヌの世話をするでしょう。

**1 take（take care of ～で）～の世話をする**
2 give を与える
3 see を見る
4 look 見る

(*11*) A：Can I go out tomorrow, Mom?

明日出かけてもいいですか，お母さん？

B：You had (better) stay home. It will snow.

あなたは家にいた方がいいわよ。雪が降るよ。

1 more many/much の比較級　**2 better good/well の比較級**
3 most many/much の最上級　4 good 良い

(*12*) A：Can you tell me 〈which house is yours〉?

〈どちらの家があなたの家か〉私に教えてくれますか？

B：Sure. The one (between) the park and the post office is mine.

いいですよ。公園と郵便局の間にある家が私の家です。

1 during（特定の期間）の間に　**2 between（2つのもの）の間に**
3 for（期間の長さ）の間に　4 among（3つ以上のもの）の間に

**不定詞**

(*13*) My mother (began) to learn French two years ago.
私の母は2年前，フランス語をならい始めました。

1 finished　を終えた
2 enjoyed　を楽しんだ
**3 began　を始めた**
4 stopped　をやめた

finish、enjoy、stopは目的語に動名詞（動詞の-ing形）をとるが、基本的に不定詞はとることができない。beganはbegin「始める」の過去形で、不定詞・動名詞のどちらも目的語にとることができる

**受動態**

(*14*) Do you know that English is (used) in this country?
この国では英語が使われていると知っていますか？

1 uses　三人称単数現在形
2 using　-ing形
3 to use　to不定詞
**4 used　過去分詞形**

主語がEnglish「英語」なので、「使われる」という受け身〈be動詞+過去分詞〉の形にするのが正しい

**関係代名詞**

(*15*) A：Is this the book [(that) you bought last week]?
これが，[あなたが先週買った]本ですか？
B：Yes. It is really interesting, so I've already read it.
はい。それは本当におもしろいので，もう読んでしまいました。

1 what
**2 that**
3 for
4 who

「あなたが先週買った本」という文にするには関係代名詞が必要。また、先行詞のthe bookは〈もの〉なので、whoではなくthat（またはwhich）が正しい

(*16*) Boy：Can I use your eraser?
男の子：あなたの消しゴムを使ってもいいですか？
Girl：Sure. (Here you are.)
女の子：いいですよ。はい，どうぞ。
Boy：Thanks.
男の子：ありがとう。

1 Not at all. どういたしまして。
**2 Here you are.** はい，どうぞ。（ものを渡すときのセリフ）
3 Sounds good. いいですね。
4 I don't think so. 私はそう思いません。

(*17*) Man：Hello, this is Scott. May I speak to Cindy?
男性：もしもし，スコットです。シンディーと話ができますか？
Woman：(Speaking.) What's up, Scott?
女性：　私です。どうしたの，スコット？

1 Hold on, please. 切らずにお待ちください。
2 Sorry, I can't. ごめんなさい，できません。
**3 Speaking.** （電話で）私です。（私が話しています）
4 You have the wrong number. 番号をおまちがえです。

(*18*) Woman：Do you have any plans for next Sunday?
女性：　今度の日曜日に何か予定はありますか？
Man：I want to go fishing. But if it rains, I'll go shopping (instead of) going fishing.
男性：私は魚つりに行きたいです。しかしもし雨が降ったら，私は魚つりに行くかわりに買い物に行くつもりです。

**1 instead of** ～のかわりに
2 proud of ～をほこって
3 because of ～の理由で
4 in front of ～の前で

START

(*19*) Man：Excuse me. Could you tell me the way to the swimming pool?
男性：すみません。スイミングプールまでの道を教えていただけませんか？
Woman：I'm sorry, but I don't know the way. I'm new here.
女性：　すみませんが，道はわかりません。私はよそ者なのです。
Man：OK.（Thanks anyway.）
男性：わかりました。どちらにしてもありがとう。

1 Maybe next time. たぶん，また今度。
2 I'll be right back. すぐもどります。
3 I'd be glad to. よろこんで。
**4** **Thanks anyway.** どちらにしてもありがとう。

(*20*) Boy：Can you come to my birthday party on Saturday?
男の子：あなたは土曜日にぼくの誕生日パーティーに来られますか？
Girl：（I'm afraid not.）I'm going to visit my aunt on that day.
女の子：残念ながら行けません。私はその日，おばをたずねる予定があります。

1 Congratulations. おめでとう。
**2** **I'm afraid not.** 残念ながらそうではないようです。
3 Attention, please. ご注意ください。
4 Same to you. あなたも同じでしょ。

GOAL

## *We need your help!*

We need volunteers [who will work for our city]. **21** If you live in this
私たちの市のためにはたらくボランティア　この市に住んでいれば、

city, you can be a member. People of any age can join us! Three
メンバーになれます。　どんな年れいの人々でも

groups will do different volunteer activities on different days:
ことなるボランティア活動　別の日に

**Group A** will clean the park on July 8.
そうじする

**22** **Group B** will visit the nursing home on July 14.
グループBは7月14日に老人ホームを訪問します。

**Group C** will play with children at the kindergarten on July 9.
ようち園

If you want to be a volunteer, please e-mail us before July 2. If you
私たちにメールを送る

join Group A, just come to the park at 8:00 a.m. **22** If you join Group B
グループBまたはCに参加

or C, please attend the meeting at the city hall first. The meeting will be
するなら、まず市役所でのミーティングに出席してください。　ミーティングは

held the day before the day of the volunteer activities. After the
ボランティア活動の日の前日に行われます。

volunteer activities, we will give you a free lunch.
あなたに無料の昼食をあげる

(*21*) Who can be a volunteer?
だれがボランティアになれますか？

1 People who need help.
助けを必要としている人々。

2 The children at the kindergarten.
ようち園の子どもたち。

**3** **People who live in the city.**
その市に住んでいる人々。

4 Students from other cities.
ほかの市出身の学生たち。

(*22*) **If you want to visit the nursing home as a volunteer, you have to join the meeting**
もしあなたがボランティアとして老人ホームをおとずれたいなら，あなたはミーティングに参加しなければならない

1 **on July 8.**
7月8日に。

2 **on July 9.**
7月9日に。

**3 on July 13.**
7月13日に。　　老人ホームに行く7月14日の前日

4 **on July 14.**
7月14日に。

**【訳】あなたがたの助けが必要です！**

私たちは，市のためにはたらいてくれるボランティアを必要としています。21 この市に住んでいれば，メンバーになれます。どんな年れいの人々でも参加できます！　3つのグループが別の日に，ことなるボランティア活動をします：

グループAは7月8日に公園をそうじします。
22 グループBは7月14日に老人ホームを訪問します。
グループCは7月9日にようち園で子どもたちとあそびます。

ボランティアになりたいなら，7月2日より前に私たちにメールをください。グループAに参加するなら，午前8時に公園に来てくれれば良いです。22 グループBまたはCに参加するなら，まず市役所でのミーティングに出席してください。ミーティングはボランティア活動の日の前日に行われます。ボランティア活動のあと，無料の昼食をさしあげます。

From: Tim Page 送信元：ティム・ペイジ
To: Takuya Ono 宛先：オノ タクヤ
Date: October 10 日付：10月10日
Subject: Good news! 件名：良いニュースだよ！

Hi Takuya,

I had a wonderful time when you stayed at (〜に滞在した) my home in Canada two years ago. We became good friends (良い友だちになった（仲良くなった）), and we have exchanged (交換する) e-mails since then (それ以来), haven't we? (だよね？) I have wanted to see (会いたいと思う) you again (もう一度), and probably (たぶん), that will come true (実現する)! My family is planning to (〜することを計画している) go to Japan, so I will be able to (〜することができるでしょう) meet you! **23** By the way (ところで), we have a question (質問があるんだ。). Which is the best season to visit Japan? (日本をおとずれるのにいちばんいい季節はどれだろう？) We want to enjoy the trip (旅行を楽しむ) as much as possible (できるかぎり), so we want your advice (アドバイス). Please write back soon.

Your friend, きみの友人

Tim ティム

(23) Why did Tim send this e-mail to Takuya?
ティムはなぜこのメールをタクヤに送ったのですか？

**1** **To learn the best season to visit Japan.**
日本をおとずれるのにいちばんいい季節を知るため。

2 To meet Takuya in Canada.
カナダでタクヤに会うため。

3 To know where Takuya lives now.
タクヤが今どこに住んでいるかを知るため。

4 To meet his parents in Japan.
日本にいる両親に会うため。

【訳】やあ，タクヤ，
きみが2年前，カナダのぼくの家に滞在したとき，ぼくはすばらしい時間をすごしたことを思い出すよ。ぼくたちは良い友だちになって，それ以来メールを交換しているね。きみにまた会いたかったんだけれど，どうやらそれがかないそうなんだ！ ぼくの家族が日本に行くことを計画していて，だからぼくはきみに会えるよ！ **23** ところで，質問があるんだ。日本をおとずれるのにいちばんいい季節はどれだろう？ ぼくたちは旅行をできるかぎり楽しみたいから，きみのアドバイスがほしいんだ。すぐに返事がほしいな。

From: Takuya Ono 送信元：オノ タクヤ
To: Tim Page 宛先：ティム・ペイジ
Date: October 12 日付：10月12日
Subject: I have some questions to ask you 件名：きみにいくつか質問があるんだ

Hello Tim,

Thank you for your e-mail. I'm looking forward to (～を楽しみに待つ) seeing you again, too. I can't wait! Well, you asked me when to come (いつ来るべきか) to Japan. To find the best answer (もっとも良い答えを見つけるために), I want to ask you several questions (あなたにいくつかの質問をする). First (第1に), which is better (どちらがより良いか) for you, hot weather (あつい気候) or cold weather (さむい気候)? As you know (知っての通り), I live in Hokkaido, the coldest part (もっともさむい地域) in Japan. If you visit me in winter (冬に), it will be really (本当に) cold (さむい). Also (また), if you visit Tokyo or Kyoto in summer (夏に), sometimes the temperature (気温) can be over (～を超す) 35℃. **24** Next, what do you want to enjoy in Japan? (次に，きみたちは日本で何を楽しみたい？) Different (さまざまな) people have different purposes (目的) for traveling (旅行する), such as (～のような) experiencing the food, festivals, sightseeing (観光) and so on (など). I think each (それぞれの) season has good points (良い点（長所）), so I want to know more (もっと) about you.

Take care, 体に気をつけて

Takuya タクヤ

(*24*) **What is the second question from Takuya to Tim about?**
タクヤからティムへの2番目の質問は何についてのものですか？

1 What the weather in Canada is like.
カナダの気候がどのようなものか。

2 Where Tim's family will visit in Japan.
ティムの家族が日本のどこをおとずれるつもりか。

3 Where Tim wants to meet Takuya in Japan.
ティムが日本のどこでタクヤに会いたいと思っているか。

**4 What Tim's family wants to do in Japan.**
ティムの家族が日本で何をしたいと思っているか。

【訳】こんにちは，ティム，
メールをありがとう。ぼくもきみに会うのを楽しみに待っているよ。待ちきれないな！ さて，きみはぼくに，いつ日本に来るべきかたずねたね。いちばん良い答えを見つけるために，ぼくからきみにいくつか質問したいんだ。まず，きみたちにとってはあつい気候とさむい気候ではどちらの方がいい？知っての通り，ぼくは日本でいちばんさむい地域である北海道に住んでいる。もし冬にぼくをたずねるなら，本当にさむくなるだろうね。それに，夏に東京や京都をおとずれるなら，ときに気温が35度を超えることがあるよ。**24** 次に，きみたちは日本で何を楽しみたい？ 食べ物，祭りや観光を体験することといったように，人がちがえば旅行の目的もちがうよね。それぞれの季節に良い点があると思うから，きみたちについてもっと知りたいな。

From: Tim Page 送信元：ティム・ペイジ
To: Takuya Ono 宛先：オノ タクヤ
Date: October 15 日付：10 月 15 日
Subject: Thank you 件名：ありがとう

Hi Takuya,

Thank you for (〜してくれてありがとう) thinking seriously (まじめに) about our trip. I can feel that from your e-mail. Well, I'll answer the questions. First (第1に), don't worry about (〜については心配しないで) cold weather. In my hometown (ふるさと) in Canada, it also gets very cold in winter (こちらも冬はとてもさむくなる). On the other hand (一方で), summer in our town is cool, so we don't like hot weather very much (だから，あつい気候はあまり好きじゃない). That means (それはつまり), we should avoid (さけるべきだ) summer, right? (〜だよね？) Next (25 次に), about the second (2つ目の) question, each of us (私たちのそれぞれが) has different purposes (別々の目的). My father is interested in old Japanese buildings (お父さんは日本の古い建物にきょうみがある。). My mother hopes to (〜することを望む) enjoy (楽しむ) beautiful nature (自然). And I, of course (もちろん), want to see you! Like this (このように), we each have our own purposes (私たち自身の目的) for traveling to Japan, but there's one thing we all want to do (25 私たち全員がしたい1つのこと). We want to enjoy delicious (おいしい) food in Japan! We all love eating (ぼくたちはみな食べることが大好き), and I hear Hokkaido is famous for (〜で有名だ) its delicious food. Which is the best season to enjoy eating (食べることを楽しむための) in Japan and Hokkaido? I'm waiting for your answer (答え).

Your friend, きみの友人
Tim ティム

(*25*) **What is Tim's father interested in?** ティムのお父さんは何にきょうみがありますか？

1 The weather in Japan. 日本の気候に。
**2 Old buildings and food.** 古い建物と食べ物に。
3 Only beautiful nature. 美しい自然だけに。
4 The best season in Japan. 日本でもっとも良い季節に。

【訳】やあ，タクヤ，
ぼくたちの旅行のことをまじめに考えてくれてありがとう。きみのメールからそれが感じられたよ。さて，質問に答えよう。まず，さむい気候については心配しなくていいよ。カナダのぼくのふるさとも，冬にはとてもさむくなるんだ。一方で，ぼくたちのふるさとの夏はすずしいから，あつい気候はあまり好きじゃないね。それなら，夏はさけるべきだよね？　次に，2つ目の質問については，ぼくたちはそれぞれことなる目的があるね。25 お父さんは日本の古い建物にきょうみがある。お母さんは美しい自然を楽しみたいと願っている。そしてぼくはもちろん，きみに会いたいと思っているよ！　こんなふうに，ぼくたちにはそれぞれ日本を旅行する目的があるんだけど，ぼくたち全員がしたいことが1つあるね。日本のおいしい食べ物を楽しみたいんだ！ 25 ぼくたちはみな食べることが大好きで，北海道はおいしい食べ物で有名だと聞いているよ。日本で，そして北海道で食べることを楽しむための，いちばんいい季節はどれかな？　返事を待っているよ。

解答解説 | *3C*

# *Naan*

ナン

It is well known that people in India love curry. There are a lot of Indian restaurants in Japan. At such a restaurant, people can choose from various kinds of curry, and they usually eat them with rice or "naan," flat bread made from wheat. **26 Many people may think everyone in India eats naan every day. Is that true? The answer is "No."** Some people in India even say they have never eaten naan. Then, what do people in India usually have?

～ということがよく知られている／～がある／インド料理レストラン／そのようなレストラン／えらぶ／さまざまな／たいてい／ナン／小麦で作られたたいらなパン／多くの人々は、インドのだれもが毎日ナンを食べていると思うかもしれません。それは本当でしょうか？ 答えは「ノー」です。／今までに食べたことがない／それでは

(*26*) We can say that naan
私たちはナンは～ということが言えます

1 cannot be seen at Indian restaurants in Japan.
日本のインド料理店では見られない。

2 is usually made from rice.
たいてい米から作られる。

**3 is not eaten by everyone in India every day.**
インドのすべての人々によって、毎日食べられているわけではない。

4 is never eaten in India.
インドでは決して食べられない。

START

GOAL

First of all, India is a large country with more than 1,000,000,000 people,
まず　～がいる　～より多くの

so different parts of the country have different food cultures. Then, where
だから　ことなった場所　ことなった食習慣

does naan come from? It comes from North India and Pakistan. However,
～にゆらいする　北インドとパキスタン　しかしながら

even in such areas, few people eat naan every day. Why? The biggest reason is
そのような地域でさえ　ほとんどの人はナンを食べない　いちばん大きな理由

the way to make naan. To make naan, a large, special oven called a "tandoor"
～の仕方　作るために　特別な　かま　～と呼ばれる

is needed, but most families don't have it at home. **27** **In other words, naan**
必要とされる　家に　言いかえれば、ナンは家で作る

**cannot be made at home.**
ことができないのです。

The most popular kind of bread in North India and Pakistan is "chapati".
もっとも一般的な

It is thinner than naan. **28** **Naan uses fermented dough, but chapati doesn't.**
～よりうすい　ナンは発酵(はっこう)した生地(きじ)を使いますが、チャパティはそうではありません。

Also, chapati can be made in a frying pan, so the bread which is made and
フライパンで　家でもっともよく作られ、食べられるパン

eaten the most often at home is chapati.

(*27*) Why do few people in India eat naan every day?
なぜ毎日ナンを食べるインドの人はほとんどいないのですか？

1 Because India is a large country with many people.
インドは多くの人がいる広大な国だからです。

2 Because it isn't bread which comes from India.
それはインドにゆらいするパンではないからです。

3 Because most families don't like naan.
ほとんどの家ぞくはナンを好まないからです。

**4** **Because it is difficult to cook it at home.**
それを家で作るのがむずかしいからです。

(*28*) Which is true about "chapati"?
「チャパティ」について当たっているのはどれですか？

1 It isn't very popular.
それはあまり一般的ではありません。

2 Naan is thinner than chapati.
ナンの方がチャパティよりもうすいです。

**3** **It doesn't need fermented dough.**
それは発酵(はっこう)した生地(きじ)を必要としません。

4 A large oven is needed to make it.
それを作るために大きなかまが必要です。

How about other parts in India? For example, people in South India eat rice almost every day. Also, they use rice in many ways. **29** For example, they make a kind of crepe from rice flour. It is called "dosa". It is not sweet, and it is often eaten with curry for breakfast. They make flat bread like chapati from rice, too. Like this, naan is just a part of food culture in India.

How about：～はどうだろうか？　For example：たとえば　South India：南インド　almost every day：ほとんど毎日　in many ways：さまざまなやり方で　For example, they make a kind of crepe from rice flour.：たとえば、彼らは米の粉からクレープの一種を作ります。　It is called "dosa".：それは「ドーサ」と呼ばれます。　sweet：甘い　with curry for breakfast：カレーといっしょに朝食で　flat：たいらな　like：～に似た　from rice：米から　Like this：このように　just a part：ほんの一部

(*29*) Which is true about "dosa"?　「ドーサ」について当たっているのはどれですか？

**1** **It looks like a crepe.**　それはクレープに似ています。

2 It is made from wheat.　それは小麦から作られます。

3 It is usually sweet.　それはふつう甘いです。

4 It is flat bread like chapati.　それはチャパティのようなたいらなパンです。

(*30*) What is this story about?　この話は何についてですか？

1 How to make naan.　ナンの作り方。

**2** **What people in India eat.**　インドの人々が何を食べているか。

3 Differences between naan and rice.　ナンと米のちがい。

4 Price of bread in India.　インドにおけるパンの値段。

※この質問には、本文全体から判断して答えよう

### 【訳】ナン

インドの人がカレーが大好きなことはよく知られています。日本にはたくさんのインド料理店があります。そのようなレストランでは，人々はさまざまな種類のカレーからえらぶことができ，通常はそれらをご飯や「ナン」，小麦から作られたたいらなパンといっしょに食べます。㉖多くの人々は，インドのだれもが毎日ナンを食べていると思うかもしれません。それは本当でしょうか？　答えは「ノー」です。インドではナンを食べたことがないという人さえもいます。では，インドの人はいつも何を食べているのでしょうか？

まず，インドは10億以上の人々がいる広大な国です。だから，国の地域がことなれば食文化もことなります。それでは，ナンはどこにゆらいするのでしょうか？　それは北インドやパキスタンにゆらいします。しかしながら，そういった地域でさえ，ナンを毎日食べている人はほとんどいません。なぜでしょうか？　最大の理由はナンを作る方法です。ナンを作るためには「タンドール」と呼ばれる大きな，特別な窯(かま)が必要ですが，ほとんどの家庭にはそれがありません。㉗言いかえれば，ナンは家で作ることができないのです。

北インドやパキスタンでもっとも一般的な種類のパンは「チャパティ」です。それはナンよりもうすいです。㉘ナンは発酵(はっこう)した生地(きじ)を使いますが，チャパティはそうではありません。また，チャパティはフライパンで作ることができます。だから，家でもっともよく作られ，食べられるパンはチャパティです。

インドの他の地域はどうでしょうか？　たとえば，南インドの人々はほとんど毎日米を食べます。また，彼らは米をさまざまな方法で使います。㉙たとえば，彼らは米の粉からクレープの一種を作ります。それは「ドーサ」と呼ばれます。それは甘くなく，よくカレーといっしょに朝食で食べられます。彼らは米から，チャパティのようなたいらなパンも作ります。このように，ナンはインドの食文化のほんの一部でしかないのです。

## 解答解説 | *4*　ライティング（Eメール）

### 〈問題文訳〉

I heard that you went to a new shopping mall.

君が新しいショッピングモールに行ったって聞いたよ。

I want to know more about it.

それについてもっと知りたいな。

What did you buy there?

そこで何を買ったの？

And what kind of stores does it have?

どんな種類のお店がそこにあったの？

〈解答例〉

I went to the new shopping mall with my mother.

私はお母さんと新しいショッピングモールに行ってきたよ。

It has a movie theater, restaurants, a book store and clothing stores.

そこ（そのショッピングモール）には、映画館とレストランと、本屋と洋服屋さんがあったよ。

I bought a T-shirt and a bag there.

そこでTシャツとかばんを買ったよ。

(30 語)

※語数は25語をオーバーしてもOK。

15語～25語は目安だよ。

## 解答解説｜5　ライティング（英作文）

〈解答例〉

I want to visit Australia. I have two reasons. First, I want to see beautiful nature there. Second, my ALT is from Australia, so I want to visit her country.（30 語）

私はオーストラリアをおとずれたいです。理由は2つあります。第一に、私はそこで美しい自然を見たいです。第二に、私のALT（英語の先生）がオーストラリア出身なので、彼女の国をおとずれたいと思っています。

〈解説〉

質問は「あなたはどの国をおとずれたいですか？」という意味。まず1文目に、I want to visit ～ .「私は～をおとずれたいです」の形で、おとずれたいと思っている国を書く。そしてつづけて、その理由を具体的に書く。問題文の指示にある通り、理由を2つ書くのを忘れないこと。

## 解答解説 | 6 リスニング

### 第1部

No.1 53

☆ Is that your dictionary?
あれはあなたの辞書ですか？

★ No, it isn't. I have mine in my bag.
いいえ，ちがいます。自分のものはカバンの中にあります。

☆ **Whose dictionary is that, then?**
それでは，あれはだれの辞書ですか？

1 Yes, it is. はい，そうです。

2 He is my friend Tom. 彼は私の友だちの，トムです。

**3 It's my brother's, I think.** 私の兄［弟］のものだと思います。

No.2 54

★ What are you doing?
何をしているのですか？

☆ I'm looking for information on the Internet.
インターネットで情報をさがしています。

★ **What kind of information?**
どんな種類の情報ですか？

1 Yes, you are kind. はい，あなたは親切です。

**2 About Japanese history.** 日本の歴史についてです。

3 I'm watching a movie. 私は映画を見ています。

No.3
55

☆ Hello?
もしもし？

★ Hello. This is Andy. May I speak to Beth?
もしもし。アンディです。　ベスと話せますか？

☆ I'm sorry, **she's out now.**
ごめんなさい，彼女は今，外出中です。

1 Hold on, please. 切らずにお待ちください。

**2 Can I leave a message?** 伝言をのこしてもいいですか？

3 Just a moment. ちょっと待ってください。

No.4
56

★ Hello. A cheeseburger and a cola, please.
こんにちは。チーズバーガー1つとコーラを1つおねがいします。

☆ All right. Anything else?
わかりました。ほかには？

★ **No, that's all.**
いいえ，それで全部です。

1 May I help you? いらっしゃいませ。

**2 That will be six dollars.** 6ドルです。

3 How was the food? 食べ物はいかがでしたか？

No.5
57

☆ Hi, John!
こんにちは，ジョン！

★ Hello, Sophia. I'm sorry, I'm late.
やあ，ソフィア。　ごめん，　ちこくしました。

☆ No problem. **How did you come?**
問題ないよ。　どうやって来たの？

1 About twenty minutes. 20分くらいです。

2 At nine. 9時です。

**3 By bus.** バスです。

START

GOAL

No.6

58

★ Hello, Yumi. Are you going to go out this weekend?
こんにちは、ユミ。今週末は外出する予定ですか？

☆ Yes. I'm going to see a movie. How about you?
はい。映画を見に行くつもりです。あなたはどう？

★ Well, I was going to go hiking with my father, but he is sick.
ええと、父とハイキングに行く予定だったけど、彼が病気なんです。

1 Sounds good. それはいいね。

2 I'd love to. ぜひそうしたいわ。

3 **That's too bad.** お気の毒に。

No.7

59

☆ Do you have anything to do after school tomorrow, Akira?
明日の放課後、何かすることがある、アキラ？

★ No, I'm free after school tomorrow. But why?
いいや、明日の放課後はひまだよ。でもなぜ？

☆ I have two tickets for a movie. Shall we go to see it together?
映画のチケットが２枚あるの。いっしょに見に行かない？

1 No, you won't. いいえ、あなたはしません。

2 You're welcome. どういたしまして。

3 **Yes, let's.** はい、そうしましょう。

No.8

60

★ Hi, Erika. What are you eating?
やあ、エリカ。何を食べているの？

☆ Hello, Jack. I'm eating *soba*. I like *soba* very much.
こんにちは、ジャック。私はそばを食べているの。そばが大好きなの。

★ I think you often have *udon*, too. Which do you like better, *soba* or *udon*?
君はうどんもよく食べていると思う。そばとうどん、どちらの方が好き？

1 Yes, I do. はい、そうです。

2 It is my favorite. それは私のお気に入りよ。

3 **That is a difficult question.** それはむずかしい質問ね。

No.9

61

☆ Are you ready to order?
ご注文はお決まりですか？

★ Yes. I'll have beef steak lunch with bread. Oh, also, a cup of hot coffee, please.
はい。ビーフステーキランチをパンといっしょにおねがいします。ああ，それと，あたたかいコーヒーもおねがいします。

☆ All right. When shall I bring your coffee?
かしこまりました。コーヒーはいつお持ちしますか？

**1 After the meal, please.** 食後におねがいします。

2 To my table, please. テーブルまでおねがいします。

3 Two cups, please. 2つおねがいします。

No.10

62

☆ Where have you been, George?
（今まで）どこにいたの，ジョージ？

★ I've been to the park to play soccer. And I'll go to my friend's house right now.
サッカーをするために公園にいたんだ。そして今から友だちの家に行くよ。

☆ Wait! Have you finished doing your homework yet?
待って！ 宿題はもう終わったの？

1 Yes, I'll finish it after dinner. うん，夕食のあと終えるつもりだよ。

2 No, I don't have to go there. いいえ，そこに行かなくていいんだ。

**3 Yes, I've already done it.** うん，もう終わったよ。

GOAL

## 第2部

No.11

63

☆ Tom, you can play the guitar, right?
トム，あなたはギターをひくことができますよね？

★ Right. And I'm learning the drums, too. How about you?
そうですね。それから，ドラムもならっています。 あなたはどうですか？

☆ **I can play the piano.**
私はピアノをひくことができます。

Question: Who can play the piano? だれがピアノをひくことができますか？

Answer:
1 Only the boy. 男の子だけ。
**2 Only the girl.** 女の子だけ。
3 Both the boy and the girl. 男の子も女の子も両方。
4 No one. だれも（ひけない）。

No.12

64

★ What did you do yesterday?
昨日は何をしましたか？

☆ In the morning, I studied English. Then, I cooked lunch with my mother,
午前中， 英語を勉強しました。 それからお母さんと昼食を作って，

and we had it together.
いっしょに食べました。

★ **How about in the afternoon?**
午後はどうですか？

☆ **I read a book from one to four.** After that, I took a bath.
1時から4時まで本を読みました。 そのあと，ふろに入りました。

Question: What was the girl doing at two in the afternoon yesterday?
女の子は昨日の午後2時に何をしていましたか？

Answer:
1 Studying English. 英語を勉強していた。
2 Cooking lunch. 昼食を作っていた。
**3 Reading a book.** 本を読んでいた。
4 Taking a bath. ふろに入っていた。

No.13

65

☆ Jack, look at this picture. This is my family.
ジャック、この写真を見て。 これは私の家族です。

★ Thank you, Mimi. Oh, you are playing with a boy. Is he your brother?
ありがとう、ミミ。 ああ、あなたは男の子とあそんでいますね。 彼はあなたの兄弟ですか？

☆ Yes, he's my little brother. And can you see my father and mother, too?
はい、彼は私の弟です。 そして、私の父と母も見えますか？

★ Yes. You all look happy.
はい。 あなたたちみんな幸せそうですね。

Question: How many people are there in the picture?
写真の中には何人いますか？

Answer:
1 One. 1人。
2 Two. 2人。
3 Three. 3人。
4 **Four.** 4人。（ミミ，弟，父，母）

No.14

66

☆ Mr. White, you often travel abroad, right?
ホワイト先生、あなたはよく海外を旅行しますよね？

★ Right. Last year, I visited China and Korea.
そうですね。昨年は、中国と韓国をおとずれました。

☆ I want to visit them someday. How about other countries?
私もいつかそれらをおとずれたいです。 他の国はどうですか？

★ I went to France three years ago. And I want to visit Italy, too.
3年前にフランスへ行きました。 そしてイタリアもおとずれたいです。

Question: Where did Mr. White go three years ago?
ホワイト先生は3年前、どこに行きましたか？

Answer:
1 China. 中国。
2 Korea. 韓国(かんこく)。
3 **France.** フランス。
4 Italy. イタリア。

GOAL

No.15
67

★ Emily, how was today's lunch?
エミリー，今日の昼食はどうでしたか？

☆ It was really good, Dad! Especially, the chicken was delicious.
本当においしかったです，お父さん！ 特に チキンがおいしかったです。

★ I made it, so I'm glad to hear that. **Would you like some more?**
私が作ったんだ，だからそれを聞いてうれしいよ。もっとほしいですか？

☆ **I'm sorry, but I can't eat anymore.**
ごめんなさい，でもこれ以上食べられません。

Question: Why did Emily say, "I'm sorry."? エミリーはなぜ「ごめんなさい」と言ったのですか？

Answer:
1 Today's lunch was not delicious. 今日の昼食がおいしくなかった。
2 She doesn't like chicken. 彼女はチキンが好きではない。
3 She couldn't make it well. 彼女はそれを上手に作れなかった。
4 **She was full.** 彼女はおなかがいっぱいだった。

No.16
68

☆ Kota, you speak English very well.
コウタ，あなたは英語をとても上手に話しますね。

★ Thank you, Jane. I like English, but my father speaks it better than I do.
ありがとう，ジェーン。 私は英語が好きです，でも，私の父は私より上手に話します。

☆ Really? I can't believe that!
本当ですか？ 信じられません！

★ He worked in London for five years, and **he often teaches me English at home.**
彼はロンドンで５年間はたらいていました， そして，彼はよく，家で私に英語を教えてくれます。

Question: Why does Kota speak English well? コウタはなぜ英語を上手に話すのですか？

Answer:
1 Because his father is an English teacher.
彼の父が英語の先生だから。
2 To teach English to his father. 彼の父に英語を教えるため。
3 **Because his father teaches it to him.**
彼の父がそれを彼に教えてくれるから。
4 To work in London. ロンドンではたらくため。

No.17

69

★ What are you going to do during summer vacation, Kotoe?
夏休みの間，あなたは何をするつもりですか，コトエ？

☆ I'm going to visit my grandparents in Osaka.　How about you, Jim?
私は大阪の祖父母をたずねるつもりです。　あなたはどうですか，ジム？

★ **My family will come to Japan, so I will travel in Japan with them.**　They will stay in Japan for two weeks.
私の家族が日本に来るので，　彼らと日本を旅行するつもりです。
彼らは2週間日本に滞在します。

☆ That's great.　Have a nice trip.
それはいいですね。良い旅行を。

Question: What will Jim do during summer vacation?
ジムは夏休みの間，何をするつもりですか？

Answer:
1 Visit his grandparents.　祖父母をたずねる。
**2 Travel in Japan with his family.**　家族と日本を旅行する。
3 Go back to his country.　彼の国に帰る。
4 Have two trips.　2回旅行に行く。

No.18

70

☆ Ken, you look sad today.　What happened?
ケン，今日は悲しそうに見えます。何があったのですか？

★ Oh, Lucy.　The day before yesterday, I lost the watch my father gave me.
ああ，ルーシー。おととい，お父さんからもらったうで時計をなくしたんだ。

☆ That's too bad.　Is it still lost?
それは気の毒に。　それはまだなくなったままなの？

★ No, I found it on the street, but **it was broken.**
いや，道で見つけたんだ，　でもそれはこわれていたんだよ。

Question: Why is Ken sad?　ケンはなぜ悲しいのですか？

Answer:
1 His father didn't give him a watch.
彼の父が彼にうで時計をくれなかった。
2 He couldn't find his watch.
彼はうで時計を見つけることができなかった。
3 He lost his way.
彼は道にまよった。
**4 His watch was broken.**
彼のうで時計がこわれた。

No.19
71

★ Look, Akiho. My sister is over there.
見て，アキホ。 ぼくの姉がむこうにいるよ。

☆ Which girl do you mean, Bob? The girl with a racket in her hand?
どの女の子のことを言ってるの，ボブ？ 手にラケットを持った女の子？

★ No, she is a friend of my sister's. Can you see the girl with short hair?
いいえ，彼女は姉の友だちだよ。 かみの毛の短い女の子が見える？

That's my sister.
それがぼくの姉だよ。

☆ Oh, I see. She is talking with a girl wearing a cap.
ああ，わかりました。彼女はぼうしをかぶった女の子と話していますね。

Question: What does Bob's sister look like? ボブの姉はどのような見た目ですか？

Answer:
1 She is holding a racket. 彼女はラケットを持っている。

2 **She has short hair.** 彼女はかみの毛が短い。

3 She is wearing a cap. 彼女はぼうしをかぶっている。

4 She is wearing a sweater. 彼女はセーターを着ている。

No.20
72

☆ What shall we give to our mother for her birthday?
誕生日に，お母さんに何をあげようか？

★ I have no idea. Do you have any ideas?
わからない。 何か考えがある？

☆ How about a dish?
お皿はどうかな？

★ That doesn't sound nice. She broke her cup a few days ago, so let's get her a new one.
いいとは思わないな。 彼女は数日前にカップをわったから，彼女に新しいカップを買おうよ。

Question: What will they give to their mother?
彼らはお母さんに何をあげるつもりですか？

Answer:
1 Flowers. 花。

2 A dish. 皿。

3 **A cup.** カップ。

4 A bag. カバン。

START

## 第3部

No.21 73

**Ann is playing the piano in the living room.** Her brother is listening to music
アンはリビングでピアノをひいています。　彼女の兄は
in his room. Her mother is cooking dinner in the kitchen. And her father is
自分の部屋で音楽を聞いています。彼女の母はキッチンで夕食を作っています。　そして，彼女の父は
at his office and isn't at home.
会社にいて，家にいません。

Question: Who is in the living room?　だれがリビングにいますか？

Answer:
1 **Ann.**　アン。
2 Ann's brother.　アンの兄。
3 Ann's mother.　アンの母。
4 Ann's father.　アンの父。

No.22 74

**It is Friday today.** Joe studied English for two hours yesterday. **Tomorrow, he will practice tennis at school.** The next day, he will go fishing with his friends.
今日は金曜日です。ジョーは昨日2時間英語を勉強しました。明日は学校でテニスを練習するつもりです。その次の日，彼は友だちと魚つりに行くつもりです。

Question: When will Joe practice tennis?　ジョーはいつテニスを練習しますか？

Answer:
1 On Thursday.　木曜日に。
2 On Friday.　金曜日に。
3 **On Saturday.**　土曜日に。
4 On Sunday.　日曜日に。

GOAL

No.23
75

Emi has come to a cake shop. At this shop, one apple cake is 250 yen,
エミはケーキ店に来ています。 この店では，リンゴケーキが1つ250円，
one chocolate cake is 300 yen, and one orange cake is 350 yen. She will buy
チョコレートケーキは1つ300円， オレンジケーキは1つ350円です。 彼女は
two orange cakes for her parents, and one chocolate cake for herself.
両親のためにオレンジケーキを2つ，自分のためにチョコレートケーキを1つ買うつもりです。

Question: How much will Emi pay? エミはいくら払いますか？

Answer:
1 900 yen. 900円。
2 950 yen. 950円。
3 **1000 yen.** 1000円。（350円＋350円＋300円）
4 1050 yen. 1050円。

No.24

76

Judy went to see a movie yesterday. She left home at 10:00 in the morning.
ジュディは昨日映画を見に行きました。 彼女は朝の10時に家を出ました。
She walked to the movie theater, and it took twenty minutes. Ten minutes
彼女は映画館まで歩き， 20分かかりました。
later after she arrived at the theater, the movie started.
彼女が映画館に到着した10分後， 映画が始まりました。

Question: What time did the movie start? 映画は何時に始まりましたか？

Answer:
1 10:00. 10時。
2 10:10. 10時10分。
3 10:20. 10時20分。
4 **10:30.** 10時30分。（10：00＋20分＋10分）

No.25
77

Makoto will study in the U.S. next summer. **He will arrive there on June 1.**
マコトは次の夏，アメリカに留学します。彼はそこに6月1日に到着します。

First, he will stay with a family and go to school there. After that, he will
最初，彼はある家族のところに滞在して，そこで学校へ行きます。その後，

travel alone for a week. **He will leave the U.S. on June 22.**
1週間1人で旅行します。彼はアメリカを6月22日に出発します。

Question: How long will Makoto stay in the U.S.?
マコトはどのくらいの間，アメリカに滞在しますか？

Answer:
1 About a week. 約1週間。
2 About two weeks. 約2週間。
**3 About three weeks.** 約3週間。(6月1日～22日の21日間)
4 About a month. 約1か月。

No.26
78

Ayumi doesn't like studying very much, especially science. She doesn't
アユミは勉強することがあまり好きではありません，特に理科は。彼女は

like math, either. Actually, she likes to read novels, **so she likes Japanese**
数学も好きではありません。じっさいには，彼女は小説を読むことが好きです，だから彼女は他の教科よりも

**better than other subjects.**
国語が好きです。

Question: Which subject does Ayumi like the best?
アユミはどの教科がいちばん好きですか？

Answer:
1 Science. 理科。
**2 Japanese.** 国語。
3 English. 英語。
4 Math. 数学。

No.27

79

John is in front of the station. He is going to meet his cousin at a shopping
ジョンは駅前にいます。彼はショッピングモールでいとこと待ち合わせをして、

mall, and they will have lunch together. But he doesn't know the way to the
いっしょに昼食をとる予定です。しかし、彼はショッピングモールへの道を

shopping mall. So, he talked to a woman there.
知りません。そこで彼はそこにいる女性に話しかけました。

Question: What will John ask the woman?
ジョンは女性に何をたずねるでしょうか？

Answer:
1 How to take the train. 電車の乗り方。

2 Where his cousin is. いとこがどこにいるか。

3 When to have lunch. いつ昼食を食べるのか。

**4 How to get to the shopping mall.** ショッピングモールへの行き方。

No.28

80

Aya has never seen a panda. She heard that she could see a panda at a zoo
アヤはパンダを見たことがありません。彼女はとなりの市の動物園でパンダが見られると

in the next city. She has visited that zoo once, but there weren't any pandas
聞きました。彼女は一度その動物園に行ったことがありますが、そのときはパンダがいません

then. So, she will visit the zoo again.
でした。だから彼女はもう一度その動物園をおとずれるつもりです。

Question: How many times has Aya been to the zoo in the next city?
アヤはとなりの市の動物園に何回行ったことがありますか？

Answer:
1 Never. 1回もない。

**2 Once.** 1回。

3 Twice. 2回。

4 Three times. 3回。

No.29
81

David is a high school student. One day, **he found a key on the street.** He
デイビッドは高校生です。ある日，彼は道でカギを見つけました。彼は
thought someone lost it, so he was going to go to the police station. **On his**
だれかがそれをなくしたのだと思いました，だから彼は交番へ行こうとしていました。
**way, he saw a woman looking for something.** David told her about the key.
途中，彼は何かをさがしている女の人を見かけました。デイビッドは彼女にカギについて話しました。
**It was hers.**
それは彼女のものでした。

Question: What did David do for the woman?
デイビッドは女性のために何をしましたか？

Answer:
**1 He found her key.** 彼女のカギを見つけた。
2 He took the key to the station. 駅にカギを持っていった。
3 He went to the police station with her. 彼女と交番へ行った。
4 He looked for the key with her. 彼女とカギをさがした。

No.30
82

Lily was on her trip in Japan. One day, she entered a Japanese restaurant.
リリーは日本を旅行していました。ある日，彼女は日本食のレストランに入りました。
**The menu was written in Japanese, so she couldn't understand it.** She asked,
メニューが日本語で書かれていたので，彼女は理解できませんでした。彼女は
"Can anyone speak English?" The chef said he could, and he explained
「誰か英語を話せる人はいますか？」とたずねました。シェフができると言い，
about the menu to Lily.
リリーにメニューについて説明しました。

Question: What was Lily's problem? 何がリリーにとって問題でしたか？

Answer:
1 She didn't know where to eat. どこで食べるべきかわからなかった。
**2 She couldn't read the menu.** メニューが読めなかった。
3 The chef spoke only Japanese. シェフが日本語しか話さなかった。
4 The food was too expensive. 食べ物がとても高かった。

START
GOAL

83

## Learning English
英語を学ぶこと

There are many ways to learn English. Some people study on the Internet.
英語を学ぶ方法はたくさんあります。インターネットで勉強する人もいます。

Online lessons are cheap and useful, so they are popular with students and parents. Students enjoy talking with foreign people in English.
オンラインレッスンは安くて便利です，だからそれら(=オンラインレッスン)は生徒や親に人気です。生徒たちは外国の人と英語で話すことを楽しんでいます。

▶ so は「だから」という意味で、so の前に理由、so の後ろにその結果がくるよ。Why ? と聞かれたら、so をさがそう。so の前が答えのポイントになっていることが多いよ。

▶ They は「彼らは」という意味でよく使われるけど、「それらは」という意味でも使われるよ。今回の they は「彼らは」ではなく、その直前の文の複数形の名詞「Online lessons」を指していたんだ。そこが答えのポイントだね。

【Questions】

84

No. 1 Please look at the passage.
本文を見てください。

Why are online lessons popular with students and parents?
なぜオンラインレッスンは生徒や親に人気があるのですか?

(解答例)

— **Because they are cheap and useful.**
なぜならそれら(=オンラインレッスン)は安くて便利だからです。

85

No.2 Please look at the picture . What is the girl doing?
絵を見てください。女の子は何をしていますか？

(解答例)

— **She is listening to music.**
彼女は音楽を聞いています。

▶主語の the girl を She にかえて、現在進行形で答えよう。

86

No.3 What is the woman going to do?
女性は何をするつもりですか？

(解答例)

— She is going to make (cook) curry.
彼女はカレーを作るつもりです。

87

No.4 What kind of books do you like to read?
あなたはどんな種類の本を読むのが好きですか？

(解答例)

— I like to read novels.
私は小説を読むのが好きです。

▶ What kind of ～？は「どんな種類の～？」、〈like to ＋動詞の原形〉は「～するのが好きだ」の意味だよ。質問文の主語は you、動詞は like to read なので、I like to read ～ . の形で答えよう。

88

No.5 Have you ever experienced traditional Japanese culture?
あなたは今までに、伝統的な日本文化を経験したことがありますか？

Yes. → Please tell me more.
もっと教えてください。

(解答例)

— I learned *judo* in P.E. class at school.
私は学校の体育の授業で、柔道をならいました。

No. → What traditional Japanese culture do you want to try?
あなたはどんな伝統的な日本文化を体験してみたいですか？

(解答例)

— I want to learn how to play the *shamisen*.
私は三味線のひき方をならいたいです。

▶ Yes. の場合は「もっと教えてください」とつづくので、どのような日本の伝統文化を体験してみたのかを具体的に答えればいいよ。No. の場合は別の質問をされるよ。今回は、「あなたはどんな日本文化を体験してみたいですか？」とたずねられているので、I want to ～ . の形で答えれば OK だ。

# おわりに

このページを開いているということは、一冊をやりきってくれたということだね。お疲れさま！　英語の力がついてきたのを感じられたかな？

合格をさらに確実なものにするために、試験日までにやっておくべきポイントをおさらいしておこう。

**▼ 試験日までにやっておくこと**

**1 まちがえた問題をチェック**

まちがえた問題には、きみの弱点がまとまっている。
そこを復習すると合格に一気に近づくよ

**2 赤シートを使って単語リストを復習**

語彙（ごい）力をつけるのが、合格への近道。
試験日までにくりかえしおぼえよう

**3 とく順番や、手順を確認しておこう**

・ライティングを先にとく（時間に注意）
・リーディング長文は、設問を先に見る
・リスニングも選択肢を見て、想像しながらとく

ライティングは、まちがいさがしページの解説を見直して、採点のポイントを確認しておこう。自分の書いた答えが正しいか不安になったら、学校の先生などにチェックをおねがいしてみよう。

リスニングについては、この本の付録音声などを聞いて、英語を聞き続ける集中力をみがいておこう。

さいごに、合格したいという気持ちを、周りの人に多く伝えておこう。毎日いそがしいなかで、資格の勉強をひとりでつづけるのは、とてもむずかしい。宣言することで、周囲のみんなも応援してくれるし、やる気が続きやすくなるよ。

ここまでやれば、もう大丈夫。きみの100%の力が、試験で出せるよう、心から応援しているよ！

監修者

**野崎順**　のざき じゅん

森村学園中等部高等部英語科教員。英検® 1級合格・国際バカロレアMYP及びDPコーディネーター。1981年生まれ。同志社大学卒業後、総合商社に勤務。退社後、JICA青年海外協力隊として中米ホンジュラスにて2年間青少年活動に従事。その後山梨学院中学校・高等学校に英語教員として勤務。英語科主任を務め、英検® 指導改革を実施。中学3年生の約7割が卒業までに準2級に合格し、約2割が2級に合格する学校へと変貌させた。長年にわたり英検® 対策講座を担当。
2024年現在、森村学園にて英検® 3級～1級の対策講座を担当。毎年多数の合格者を輩出している。

**江川昭夫**　えがわ あきお

教職46年。英語初期学習者の効率的学習法から海外子女帰国後の英語力の維持発展まで英語教育全般における実績に定評がある。佼成学園 教頭、アサンプション国際中学校・高等学校 校長、森村学園 中等部・高等部 校長を歴任。グローバル人財育成を主軸とするプログラムを成功に導く。2024年4月 大阪・豊中、履正社中学校 校長に就任。『一問一答　英検® 4級 完全攻略問題集』『同5級』（高橋書店）の著者。

編集協力：Juan Jose Soto Soto（山梨学院中学校・高等学校 英語科教諭）
動画撮影・編集：佐藤崇文



本書は2023年8月に発刊した書籍を、2024年度の試験リニューアルに合わせて加筆・訂正した改訂版です。

# 英検® 3級合格問題集

監修者　野崎　順　江川昭夫
発行者　清水美成
編集者　梅野浩太
発行所　**株式会社 高橋書店**
〒170-6014 東京都豊島区東池袋3-1-1 サンシャイン60 14階
電話　03-5957-7103

ISBN978-4-471-27621-8　©TAKAHASHI SHOTEN　Printed in Japan

定価はカバーに表示してあります。


本書の内容についてのご質問は「書名、質問事項（ページ、内容）、お客様のご連絡先」を明記のうえ、郵送、FAX、ホームページお問い合わせフォームから小社へお送りください。
回答にはお時間をいただく場合がございます。また、電話によるお問い合わせ、本書の内容を超えたご質問にはお答えできませんので、ご了承ください。本書に関する正誤等の情報は、小社ホームページもご参照ください。

**【内容についての問い合わせ先】**
書　面　〒170-6014 東京都豊島区東池袋3-1-1 サンシャイン60 14階　高橋書店編集部
F A X　03-5957-7079
メール　小社ホームページお問い合わせフォームから　(https://www.takahashishoten.co.jp/)

**【不良品についての問い合わせ先】**
ページの順序間違い・抜けなど物理的欠陥がございましたら、電話03-5957-7076へお問い合わせください。
ただし、古書店等で購入・入手された商品の交換には一切応じられません。